GALERIA LITERARIA

LA CARETA

ELENA QUIROGA

LA CARETA

EDITORIAL NOGUER, S. A.
BARCELONA - MADRID - MÉXICO

DIBUJO SOBRECUBIERTA
JUAN ESPLANDIÚ

Primera edición: diciembre 1955
Segunda edición: mayo 1963

RESERVADOS TODOS LOS DERECHOS

Depósito legal: B. 2472. - 1963. Número de registro: 5855-55

© *by Elena Quiroga, 1963* - *Printed in Spain*

Talleres Gráficos Agustín Núñez - París, 208 - Barcelona

A mi marido.

En esta frontera de harapos
quisiera clavar una bandera.
¿Pero qué ángeles vendrán
a soplar a estos rincones miserables?

LUIS PIMENTEL

I

E STABAN todos. Moisés les miró a través de su copa, o de
su vino, o de su desesperada soledad, o del deseo cruel
—cruel para sí mismo— de reírse hasta reventar. No era
una manera de expresarlo, era la verdad: reventar allí, en
medio de todos, de asco, de cansancio y de protesta. El cuerpo
haría «crac» o «zuum-bum», y explotaría sobre el mantel
blanco y fino como enaguas de mujer, salpicando los platos
de porcelana con filete de oro. Le parecía verlo todo sucio de
vísceras oscuras, y un líquido viscoso, pegajoso,
    (Bernardo diría:
    —No se me quita. No se va,
y restregaría los dedos grasientos, carnosos, en el agua del
lavafrutas) vertiéndose, extendiéndose, agrandándose hasta con-
taminar las rosas del centro y los escotes de las tres mujeres.
Porque aquel olor —él lo sabía— se mete por las compuer-
tas del cerebro, se filtra por el olfato, sube por los dedos, no
lo puedes olvidar jamás, desterrar jamás, y en cuanto surge
algo amarillento y viscoso, o huele un perfume fuerte y vital
—la hembra, la fragancia de la tierra húmeda en la sombra,
o al sol corrompida— vuelve en sordina aquel olor, se pega
a ti, monta a caballo sobre tu corazón, y te oprime hasta
morirte de asco.
    Vio los ojos de Gabriel, severos y superiores, bajo las cejas
ya canas, dando a entender:

—No bebas más...

¡Qué fácil: «No bebas más»!... Qué fácil para Gabriel, para el metódico, ordenancista Gabriel... Qué fácil para el Gabriel que ha tenido infancia. *Tía Elizabeth colgada, radiante, del brazo de su hijo guardiamarina, de un Gabriel joven y hermoso pero no brillante, de un Gabriel romo de inteligencia y que hablaba a trompicones.* ¿Qué habría visto Gabriel en sus largos viajes? ¿Había sabido ver, al menos? Haría todo aquello que se pudiera hacer sin romper las costumbres, la quietud; todo aquello que no se podía hacer, y que no trascendía, pero que era obligado hacer para no sentar plaza de invertido entre los compañeros.

Gabriel, cuando el cuerpo reventase, daría pruebas de su serenidad militar —la Armada detrás de él— y secaría aquello con la servilleta, aplacando con la mano:

—No es nada. No perdáis la calma. ¡Ignacia!

Porque Ignacia chillaría, arrastrando la silla.

Quizá el cuerpo al saltar, o partículas del cuerpo, o pedazos enteros, salpicasen su falda. Le miraba, apretando los labios, desde el principio de la cena, separando un poco el asiento para no rozarle, como si contaminase —seguro, fue idea de Bernardo colocarla a su lado—. O entre el cabello de Flavia, el rebelde, noble cabello, sobre la frente alta, tan pura, y no haría un gesto para limpiarse de aquello que le llegaba de él. Quizá lo apretara con su mano delgada, repitiendo con su voz inhumana a fuerza de pura:

—Pobre Moisés. Pobre. Pobre...

Y no adivinaría, porque era demasiado limpia, y él no quería tomarse el trabajo de hablar.

Aquello rosado, pardo y gelatinoso rebotando contra el escote radiante de Nieves, que llevaría a él las manos con horror, echándose a llorar:

—César, César, te ruego...

Llamaría en su ayuda al marido o a cualquier hombre. Creía que los hombres habían nacido para asistirla, que estaban allí solamente para desearla. Se sentía incómoda, desplazada, si el tiempo pasaba y los hombres no acudían a ella igual que si desperdiciase belleza para ojos ciegos.

—*El día que esto suceda puedes decirte, Moisés, que me voy a morir.*

Y lo resolvería con sus lágrimas irritantes que no la descomponían pero que tenían el poder de ablandar. De impacientar y de ablandar. De impacientar, de ablandar y de encender. Todo servía a su femineidad, no desaprovechaba un solo talento, si talento puede llamarse al resorte animal.

—Moisés... siempre molestando. ¡Qué porquería! Y yo, pobre...

Y después, de pie, apoyada contra el pecho de alguien —un pecho varonil—, diría apretando el pañuelo contra la boca:

—Estaba enamorado de mí. Yo no lo podía remediar...

Gabriel estaría ya avisando —médico, comisaría, alguien, lo que se debe en estos casos— y Bernardo advirtiendo:

—Hace años me dijo que tenía un seguro de defunción.

(Qué chasco. No existía el seguro... Pensó: «¿Qué hacen de un perro cuando se muere?» Y le pareció soberbia ocuparse de dónde iban a dar sus cansados, aburridos huesos.)

—Búscale en la chaqueta, Agustín.

Porque Agustín, el fiel Agustín, el a medias —bohemio, el a medias— perdido Agustín, estaría cubriendo su ignominia con las servilletas.

—Déjame en paz —eso diría.

—Mucho tienes que agradecerle —entre dientes, Bernardo.

Pero sobre todo, aquella mentira de la realidad se terminaba, se quebraba. Y saldrían a las luces brillantes de la araña de cristal los seis hermanos: Gabriel e Ignacia, Bernardo, Agustín, Flavia y la pequeña Nieves. (¿Por qué la «pequeña» Nieves?) La miró: ¡pobre pequeña Nieves! No importaba que fuese alta ahora, y que tuviese unos hombros espléndidos, redondos, que estaban causándole tanta pena, tanta pena desde el principio. Y la boca roja, roja, roja... Carnosa y roja. Perfilada y roja... Estaba toda pintada, Nieves, la pequeña. Sintió, vio o le volvieron sus manos torpes de muchacho, a oscuras, en la despensa. *Se oía la aguda voz de Ignacia*. Ignacia había tenido voz de chillido, tan fina que parecía silbar cuando la alzaba, y Flavia, espesa, y Nieves, tanteante. Sin embargo, la voz que se oía cuando hablaban las tres a un tiempo, o cantaban, era la caudalosa y honda voz de Flavia. Iba desbordando la nota alta y brillante de su hermana, se extendía, la oscurecía, y todo se hacía oscuro y hondo y lejano y próximo —dentro de sí mismo— como su voz, y cuando pensaba: «Ahora sube Ignacia», era la voz de Flavia la que ascendía sin forzarse. Moisés las escuchaba mordiéndose las uñas, tumbado en la glorieta, y se hallaba deseando: «¡Que chille Ignacia!», para no chillar él.

(A ráfagas se veía contándole todo a Flavia, descargando sobre Flavia. Porque su voz le nacía a él o le continuaba a él, ¿cómo era posible?)

Pero cuando Flavia aparecía, derecha como la verdad, inflexible como la pureza, Moisés la odiaba.

No se oía a Nieves, jamás se oía a Nieves, aunque cantaba. A veces las otras hermanas callaban y algo grave se resolvía en el silencio súbito (Moisés creía adivinar su estado) y entonces se escuchaba una voz de cordera, incierta y balante, y Moisés se tumbaba boca abajo: «La pequeña Nieves», pensaba. Ponía la boca redonda para cantar, y en los agudos hacía un alto para tomar aliento.

Miró a las tres, después de veinte años, y eran las mismas niñas, o las que él adivinó: desde el momento mismo en que mordió el pecado tuvo el don de conocimiento, y miedo... porque veía a todos sin careta y era como contarles los huesos.

Sintió ahora dentro de su cuerpo aquella lava espesa que le abrasaba, que quizá fuera el vino, tan caliente y tan rojo, o las entrañas que iban a explotarle de un momento a otro...

(Bernardo diría:

—Basura.

Incómodo durante unos días porque en el fondo le quería, hasta donde quería Bernardo cuando ningún provecho material podías rendirle.)

Estaba divertido porque la idea de reunirles había sido suya y sabía a Ignacia rabiosa por la vecindad de Moisés.

(—Cuando le veo por la calle me meto en un portal, miro hacia otro lado por la ventanilla del coche. Es una vergüenza que sea familia de uno... Bernardo, ¿no podrías darle algún empleo lejos?

Bernardo frunció las cejas: ¿un empleo a Moisés? ¿Dinero mal invertido?

—Moisés no quiere empleos. No te molesta. ¿Ves a Moisés detrás de una ventanilla o sentado a la máquina horas...?

—¿De qué vive?)

He ahí el gran problema para sus primos: ¿de qué vive, si no pide a nadie? ¿De qué vive si lo de sus padres lo tiró, lo gastó no se sabe cómo, no le lució? No podían permitirse la satisfacción de socorrerle para poderle reprender. (Pero Flavia lo sabía.)

Ignacia resoplaba por dentro, pese a su aparente desdén

y a su contención medida. Se había teñido de plata unos mechones sobre la frente. ¡Qué suave dignidad, la plata! ¡Qué caliente la plata! Más hermosa que cuando tenía veinte años, porque la dignidad... Así disimulaba las canas que abundaban entre el cabello. Rió, corto y quebrado, como un hipo. Gabriel le miró severamente, llamándole al orden con un gesto seco de la mano.

Así era Ignacia. Se ocultaba con la verdad. Usaba la verdad como artificio. «Dejadme beber, porque esto es colosal.» No disimulaba nada, lo acentuaba con intención para que todos sonriesen:

—Ese mechón de plata. Eres tan joven...

Y ella les miraba desde sus ojos grises, burlona, quieta.

Tenía la inteligencia del mal. Más bien la inteligencia de presentir, de adivinar el mal, que es ya cohabitar con él. *Por todos los pasillos la mirada burlona y conocedora de Ignacia. Al fondo de la avenida de los plátanos.* Cierto que era mayor que él, y que él, en ciertos aspectos, fue un muchacho inocente. Inocente y sucio de pecado. Ignacia, en cambio, que no era inocente, estaba limpia.

—*Los primos no pueden casarse, Moisés, tienen hijos anormales...*

¿Por qué bajaba la voz para decir cosas así? ¿Por qué aquello que carecía de maldad —él lo sabía— se le antojaba de pronto turbio y monstruoso? Hablaba bajo y sus palabras quemaban. Tímido y brusco (él no era tímido de muy niño. Cuando se reía era igual que si respirara. Pero cuando se vio en su miseria se halló tímido), contestaba «No te creas que me achicas»:

—*No he pensado para nada en casarme contigo.*

—*Ni con mis hermanas... Sale un niño con dos cabezas.*

Se acercaba a él, se acercaba tanto a él que se ahogaba,

se sofocaba. Le daban asco aquellos quince años de muchacha clamando por la vida, merodeando en torno al misterio de la vida. Era como si se cayese al agua y no supiese nadar. La voz llegaba entonces con vaivén de marea:

—*¿Por qué te pones colorado?*

Le picaban los ojos y se ahogaba.

—*¿Por qué te pones colorado, Moisés?*

A veces surgía Flavia. Surgía Flavia como Flavia era: derecha, espigada, morenísima. No se sabía, viéndoles un poco distantes, quién era Flavia o Agustín. Era muy delgada, un haz de huesos, pero no hacía desgarbado su cuerpecillo enjuto de chica. Tenía unos ojos oscuros y expresivos y una boca delgada y pálida, o quizá pareciese pálida junto a la tez oscura.

Era esquiva, Flavia. Todos los demás jugaban juntos, discutían, se pegaban, pero Flavia vivía aparte —estaba y no estaba— y se había buscado un cuarto para ella sola en el hueco de la escalera, donde guardaban las escobas. Si se ponía a jugar jugaba enteramente, con un ardor desusado. No le importaba subirse a los árboles, y no decía, como Ignacia:

—*Sube antes tú, que desde abajo puedes verme.*

Y uno subía con las orejas coloradas. O diciendo igual que Nieves:

—*No puedo, cógeme tú. Llévame tú.*

Y la agarrabas por el brazo o por la cintura, o sus hermanos le estiraban el cinturón para que escalase.

Flavia subía como un ágil mono y enseñaba los muslos delgados al subir, pero nadie los miraba, o si miraban era algo puro y liso que no hacía pensar, ni sonrojaba, ni oprimía, quizá porque era el viento limpio el que le alzaba las faldas. Y desde arriba, no se sabía por qué, se volvía sujetándose con una mano a las ramas, y gritaba como un grumete desde el palo:

—¡*Tierra!*

Pero nada traía menos la sensación de tierra que aquella muchachita lisa y sonriente, con la frente y la nuca despejadas, mirando triunfalmente hacia el horizonte.

Continuaba con su mirada, la misma —Flavia también había pecado, no contra nadie, contra sí misma—, y sin embargo era la misma mirada de descubridora de mundos.

«Sentí que ya nada me quedaba por hacer, más que morirme, cuando supe que tú te habías casado. ¿O también en esto yerro, Flavia?»

Debajo de los árboles paseándose con un abrigo negro. El camino no se acababa nunca y él andaba sin pensar en nada, vacío, vapuleado. Era absurdo porque nunca había tenido un abrigo negro. Sin embargo se recordaba en aquellos días como un enorme espantapájaros en un camino desierto, sin cielo.

«...No estabas sucia cuando te vi después, ni se había empañado tu gravedad: eras la misma después de conocer el mal, porque darte pensando en mí era el pecado... ¿O no pensabas en mí? ¿O te dabas para llenar la vida de alguien, la tuya, de sentido?... Y sólo tú has tenido hijos, la muchachita de los muslos flacos, hijos sanos, uno tras otro, con la misma sencillez con que arrojabas de tu boca los huesos de la fruta.»

—*Flavia ha tenido un hijo.*

Como si quisiera abastecer al mundo, no de carne sino de vidas.

Despacio, ahora, la mujer partía el pan, se lo llevaba a la boca.

«...No te he hablado jamás del sordomudo. No quise conocerle. Me pareció, cuando lo supe, que se había cometido injusticia contigo. Después sentí que quizá fuera el hijo que estabas aguardando.»

Flavia no hablaba de aquel niño admitiendo que fuera distinto a los demás, nunca se refería a él con mueca triste, sino al contrario con alegría contenida.

—Vive para ese hijo —decían los hermanos con pena.

El niño se llamaba Manuel.

«...Y sólo tú, la madre, estás contenta, absurdamente contenta, y hablas siempre como si llevaras al pequeño sordomudo contigo.»

Le pareció que el niño era redondo y blanco como una hostia.

«¿Por qué no le has traído, esta noche, a tu lado? Hubiera sido bueno buscarse ese testigo, y sentarle en el medio a presidir la cena.»

II

Flavia alzó los ojos hacia Moisés, y preguntó, juntando las manos sobre el plato:

—¿Os acordáis de cuando jugábamos al escondite?

Pero miraba sólo a él mientras lo preguntaba. Bernardo reía:

—Ay, el escondite...

Moisés rezongó:

—¡Bah!

sacudiendo los hombros con desprecio, como si le pareciese estúpido o propio de mujeres acordarse de juegos infantiles, cuando en rigor estaba recordándolos.

Nieves, riendo, dijo:

—Moisés hacía trampas.

Se sintió insultado. Oyó su propia voz, diciendo:

—¿Yo?

Y todos se reían porque lo tomaba en serio.

Tuvo ganas, irrazonablemente, de volverse al marido de Nieves y partirle la crisma. Desde que entró le había fastidiado César, con su artificiosa desenvoltura de hombre de mundo, dándole golpecitos en la espalda, refiriéndose a personas y hechos que él desconocía, sobre todo tolerando a Nieves con una sonrisilla impertinente que parecía decir:

—Absolutamente estúpida, pero necesaria.

Y él —aunque estaba de acuerdo— deseaba salir en defensa de una Nieves que César no había conocido. O quizá sí. Quizá Nieves no fuese entonces —excepto la inocencia— diferente de la Nieves de hoy. Había crecido, simplemente. Se había redondeado, esbelta, era ahora exactamente lo que presintió que sería.

(¿Por qué le miraba Flavia mientras preguntaba «Tiene sus mismos ojos de muchacha»:

—Os acordáis de cuando jugábamos...?,
obligándole de nuevo a retroceder, a volver, porque tal vez, pese a ella misma —pese al hijo sordomudo— estaba volviendo, retrocediendo, y por eso tenía su frente lisa de adolescente y aquellos ademanes virginales.

O quizá fuera que había cogido la máscara de su adolescencia, colocándosela sobre el rostro para entrar esta noche en el comedor, vestida de rojo.)

Todos estaban intentando desesperadamente sacar a flote el gesto perdido de aquellos años, y penetraron en la casa como en un abigarrado carnaval, con falso alboroto, casi diría, con falsas voces...

(Era una repetición. Alguien entre bastidores batía las palmas secamente:

—¡Bis!

Y todos se pusieron en movimiento.)

El ruido de los chiquillos patinando por los pasillos, rayando la cera. La lluvia en los cristales. ¿Qué se puede hacer dentro de casa, en verano, si llueve?

Los niños se multiplicaban, parecían muchos más porque estaban dentro de casa. Desde arriba, varias veces, la voz de tía Germana:

—Niños, sin meter ruido...

Y apareció en la puerta la madre de sus primos, la inglesa

Elizabeth, que entonces les parecía una persona mayor —la recordaba frágil, y alta, de rasgos finos—, cuya voz apenas se oía entre el alboroto.

—*¡Niños!*

Mirándoles con asombro, desbordada por la vitalidad de sus propios hijos, la tía Elizabeth.

Se volvió a Gabriel y en cierto modo a Ignacia, buscando el parecido con su madre. Gabriel era igual que ella, alto y de facciones finas; Ignacia tenía su rubia carnación, los ojos desvaídos y claros. Pero ninguno de los dos —quizá Agustín, quizá Flavia— producía aquella sensación de sólida delicadeza.

Moisés había pensado en sus tíos excitadamente en su soledad de muchacho.

—*Primos es casi como hermanos, ¿verdad?*

—*Sí, hijo.*

Cerró levemente los ojos. No quería recordar la voz, ni la entonación, ni la mirada.

—*¿Por qué viven en Buenos Aires?*

—*El tío Gabriel vive allí, tiene allí negocios.*

—*Pero la tía es protestante...*

—*Los niños a callar.*

No hablaba de ellos en el colegio porque le avergonzaba, entonces para él no había más que moros y cristianos. O judíos. No se podía decir que los primos de uno eran como judíos... Pero sabía sus nombres y hablaba mentalmente con ellos cuando estaba solo.

—*Mamá, ¿los primos no hacen la Comunión?*

—*Pero sí, ¿qué te has creído?*

Parecía enfadada, mamá.

Se lo preguntó al Padre espiritual. El Padre espiritual, sentado ante su mesa de despacho, tenuemente iluminada por

*una luz bajo pantalla verde —había un recuadro con cristal
en el medio de la puerta, pero estaba prohibido mirar por
allí— pasaba las cuentas del rosario colgando entre el ceñidor, como si las brillara:*

—Reza por ellos. Hay que rezar mucho por ellos. Para
que les saque del error.

*Rezar por ellos era unirse a ellos. Los sentía cercanos,
dentro.*

*Hasta que brutalmente todos los valores se escalonaron,
lo que antes preocupaba dejó de tener importancia.*

*(—...Gabriel te va a reclamar, ya verás. La embajada te
dará los papeles.*

*Papá con barba de días, y las mejillas hundidas, con as-
pecto derrotado.*

—Se les pasea el alma por el cuerpo...

—No se hace cargo. Desde allí no es fácil hacerse cargo.

Papá se irritaba:

—A lo mejor nos sale rojo, tu hermano. No me extrañaría.

—¿Mi hermano?

Mamá callaba, dolida. Después:

—¿Por qué no intentamos en la embajada? ¿Eh, la embajada? Estando él allá...

—No salgo de casa. ¿No ves que andan buscándome?

—Si lográramos llegar hasta allí...

—¡Por Dios, no lo remuevas, que se crean que me he
pasado!)

*Vivir importaba, de pronto. Aquello que hasta entonces
se hacía de una manera inconsciente, simplemente vivir, dormir, comer, respirar, fue un problema acuciante. Moisés no
volvió a pensar en sus primos —aunque Buenos Aires y la
casa de los tíos en Buenos Aires iban y venían, lo mismo
que una droga, en las palabras de los dos reclusos en su*

*propio hogar, y llegaron a ser un enorme grito en silencio
de aquellos dos corazones—, hasta que se encontró en Vigo,
solo en la casa inmensa, y halló juguetes rotos —«de Nieves»— o un barco encima de un armario —«de Agustín»—
y los libros de cuentos de Flavia.*

*En las baldas había playeras blancas con las punteras de
goma rozadas, y una raqueta. Fue siguiendo las huellas de sus
primos, por los restos.*

—¿Volverán este año los hijos de Gabriel?

—Naturalmente.

—Pobrecitos, ¿verdad?

*Tía Germana se volvía vivamente para contestar, después
se mordía los labios y miraba a Moisés como solicitando
ayuda.*

*Habló con él de la tía Elizabeth después de que se fue-
ron con sus hijos y quedaron los dos en el muelle, y la ope-
ración de desatracar el barco pareció más larga que nunca,
y el barco se alejó de costado, despacio, despacio, distan-
ciándoles...*

*(A él le había parecido que no cabía soledad mayor con-
templando, apoyados sobre la borda, a sus tíos, con los niños
en torno. Tía Elizabeth pasaba el brazo alrededor de Nieves,
la pequeña, y de Agustín. Aquel brazo maternal era una
tortura... Separaba tanto como el barco virando, desgarraba
tanto como la sirena. Una sirena honda, poderosa —muge
el barco— como la voz de Flavia, derecha al lado de su padre, mirando hacia ellos sin un gesto.*

*Tía Germana les miraba también, clavada en el muelle,
seca y erguida. No era posible hablar, por la distancia y el
retemblar de los motores y el mugido de la sirena. A Moisés
le pareció cruel que no se inclinara sobre él, que no rodeara
su hombro, aunque sabía que si lo hiciese contestaría con*

un respingo. Por un momento, en tanto el barco dio la vuelta y se alejó, la odió aceradamente, y odiarla le alivió.)

Regresaron andando —bugamvillas moradas sobre las casas de López-Mora, asfalto gris, un niño pobre con una barra de pan debajo del brazo, chirriar de los tranvías con remolque, «Traviesas, Gondomar», a cuyas ventanillas se asomaban rostros cansinos, resignados—. De repente fue otoño.

Tía Germana empujó la cancela blanca y miró desde allá arriba hacia las Cíes, buscando el barco entre la niebla súbita, espesa.

—Una mujer exquisita, ya ves lo que son las cosas. No se puede juzgar.

Moisés dijo, seguro de que la dolía:

—¿Cómo iba a nuestra misa?

Tía Germana. *—Porque era buena.*

Moisés no la miraba. (La niebla era como un telón, al fondo, escamoteando la mar. Como si Vigo se terminase, sin mar, donde la niebla comenzaba. Detrás del telón, el barco estaba alejándose, pero no podían verle.) Insistió:

—¿No le valía?

—Sí.

—¿Y cómo, entonces...?

Aborrecía a tía Elizabeth. Descubrió al momento que aborrecía a tía Elizabeth que pasaba con aquella tranquila ternura el brazo en torno a sus hijos... Aquel brazo se le incrustaba en el pecho, le encendía.

Tía Germana le miró con severidad:

—No eres más que un chiquillo.

No se confesaron el uno al otro que la casa resonaba inmensa cuando los primos marchaban, y en un segundo la palmera pareció una desolada mano enarbolada, y el verde de los macizos se oscurecía, y las horas sobraban.

Desde la primavera, cuando tía Germana con excesiva
anticipación blanqueaba los cuartos, o renovaba las colchas
o visillos, o iba distribuyendo los juguetes guardados, cada
uno en la habitación de su dueño, fingiendo que lo hacía por
rutina, sin darle importancia, Moisés esperaba siempre una
liberación, algo milagroso de aquella llegada. Le entraba una
inquietud que no cedía hasta verse en el muelle de trasatlán-
ticos, agarrado a la maroma que les separaba de los empleados
de Aduanas. Y los niños bajaban por la pasarela blanca, con
cuerdas, agitando la mano, saltando o empujándose.

¡Era tan hermoso llegar en barco desde el otro lado de la
mar, entrar en barco en su deseo, sentir la proa poderosa y
alzada rasgándole el pecho, hendiéndosele!

Aquel verano, por fin, además de la institutriz les habían
acompañado sus padres.

—¿Cómo es la tía Elizabeth?

—Rubia, con un color precioso. Tiene esa tez de las in-
glesas, rosada...

Así no era tía Elizabeth. (Rosada le había hecho pensar:
iluminada, colorida.) Era suave, apagada y correcta. Hablaba
a media voz, con acento entre inglés y argentino. Hacía gracioso. Las muchachas la imitaban en la cocina.

—Arréglate, Germana.

—Pero, hija, si yo no voy a ninguna parte.

—¡Arréglate! ¡Arréglate!

Sonreía, animándola. Tía Germana, tan retraída, parecía
contenta con el cambio.

Moisés pensaba amargamente: «No te importan mis padres. Ya no te importan nada mis padres». Y no era verdad,
y se lo repetía ciego, obcecado, todas las noches antes de dor-
mirse apretando la mejilla contra la almohada.

Los domingos iban a misa reunidos. No supo si hubo

conversación entre los mayores, sólo que, de un modo abso-
lutamente natural, los tíos vinieron con ellos.

Moisés atisbaba con curiosidad a una y a otra, y le pareció
digna y tranquila Elizabeth, humillada, confundida y desorientada la tía Germana.

A partir de entonces fue fácil oírla cuando los sobrinos
se desmandaban:

—Si os viera vuestra madre... No os parecéis a vuestra
madre.

Y a decir verdad no se parecían, o quizá sí, Gabriel, el
mayor, pero Gabriel no jugaba con ellos.

(Los pequeños la empujaban, saltaban sobre ella, siempre
parecía que la fuesen a derrumbar, y la tía Elizabeth se defendía suavemente de la impetuosidad con tierno reproche:

—Estos españoles...

Los españoles eran sus niños y la rebasaban.)

¿Se acordaban los primos de sus padres? Habían vivido
tan separados... Huérfanos de madre pronto —tía Elizabeth
murió de una manera repentina, sin estridencias—, el padre
deseó que estudiaran en España. (Alguien le había dicho que
se había creado allá nuevo hogar.) Los hijos no lo comen-
taban. Agustín hablaba de él con ternura:

—Está viejo...

—¿Qué hace allá? ¿Por qué no se viene?

—¿Para qué? Toda su vida está allí. Sigue al frente de
su negocio, ¿sabes? No quiere ceder los mandos...

Y reían, divertidos, como excusando a un niño.

Elizabeth, aquella tarde lluviosa de verano, a la puerta
del cuarto de jugar, diciendo:

—¡Niños!

O tal vez algo más, porque no se la oía entre el estrépito
de todos. No se la oía. Su voz llegaba algodonosa, fantasmal,

como las bocinas entre la niebla. El pelo rubio pálido la nimbaba esa tarde, igual que las islas al caer el sol.

—¿Qué podemos hacer?

Era la pregunta, pegados a los cristales, viendo llover sobre la mar, sobre los tejados de las casas en pendiente, sobre los macizos del jardín.

—¿Qué podemos hacer?

—¿Por qué no discurrís algo tranquilo y divertido?

—No hay nada tranquilo divertido —dijo Bernardo.

Y mientras la lluvia caía, apretada, en agujas grandes, y la tarde se oscurecía, la idea surgió, no podía precisar de quién, y prendió en ellos y se dispersaron, buscando los disfraces.

No recordaba exactamente cómo sucedió todo: desde el momento en que empezó la habitación a llenarse de anacrónicas telas, de sombreros, de tules oliendo a guardado —parecía papel que se fuera a quebrar al extenderse—, de hojas de acanto doradas con purpurina, le invadió una sensación de vértigo.

Aguzó ahora la mirada, enfocando a sus primas despacio, para recordar exactamente de qué se vistieron. «Nieves, ambigua. Ignacia, deslumbrante. Flavia, oscura.»

Recordaba perfectamente los bigotes postizos de Bernardo, el papel dorado en los dientes, la larga casaca de marino mercante con su rojo fajín, cuyos faldones le batían las pantorrillas, el pecho abigarrado con los suaves esmaltes de las condecoraciones brillando. Y Agustín revolvía nerviosamente entre los trapos y los alzaba y se los ponía encima, y los volvía a dejar, indeciso. Las chicas estaban así: Flavia con su mantón —era un mantón, estaba seguro—. Un mantón negro bordado con pájaros del paraíso en vivos colores ciñén-

dosele al cuerpo con los flecos sobre las piernas, y orejas verdes que la hacían distante, e Ignacia con los labios y las pes-
tañas pintados, y un lunar junto al ojo, y el pelo espeso y
largo recogido en un moño opulento sobre la nuca —le hacía
el cuello y la garganta redondos, era una delicia mirar el
nacimiento del cuello que habitualmente el cabello recubría—
y un traje rosa con abalorios de cristal que le llegaba, escurrido, hasta los tobillos, con el talle más abajo de los muslos,
y la hacía parecer más alta, diferente, y Nieves tambaleán-
dose sobre zapatos de empinado tacón, con una piel medio
apolillada enroscada al cuello y un abanico enorme, de plu-
mas azules, que al abrirlo desprendía plumitas y tosían porque les picaba la garganta, y el cuerpecito de Nieves desaparecía detrás, con unos labios pintados que hacían reír a
fuerza de infantiles.

Él estaba vergonzoso ante la idea de disfrazarse también,
y vergonzoso por no hacerlo, y cuando Bernardo gritó:

—Ya está, papá...

Moisés quiso decir:

—Esperad,

y halló que los mayores entraban, encendiendo todas las luces
como para una representación.

Súbitamente se dio cuenta de que Agustín llevaba unos
pantalones negros metidos en las botas charoladas de lluvia,
con unas cartucheras en la cintura. Y —verlo le paralizó—
rápidamente se anudaba un pañuelo rojo sobre el cuello
desnudo.

*Un pañuelo rojo en torno a una camisa desabrochada.
Una mano rápida y violenta como una hoz... No sabía por
qué... Agustín se había oscurecido los ojos con carboncillo.
No sabía por qué. Una amargura enorme. Un peso enorme...
Entre luces:*

—¿Y tú, Moisés?

Deseó morirse porque estaba llorando, porque le miraban llorar, estupefactos, y tía Elizabeth, tan comedida, parecía incómoda. Tía Germana se avergonzaba de él. Nadie comprendía. Lloraba frente a los rostros pintados, y era una avalancha de rostros, sudorosos y violentos, fríos y violentos, taimados y violentos, que subían desde el pecho y le derrotaban.

—Premio para Moisés —dijo el tío, confuso.

¿Había dicho: «Premio para Moisés»?... ¿Quién había dicho: «Premio para Moisés»?

Se echó a correr sin mirarles, apartándoles con las manos extendidas, huyendo de aquel inri: «Premio para Moisés».

Oyó aún la voz de Flavia que decía:

—Moisés no jugaba.

III

Notó que sudaba —hacía calor, pese a la ventana al fondo abierta; era verano como entonces— «Qué porquería sudar, yo que no sudo nunca» y sintió las axilas empapadas, y unas gotas por el cuello escurriéndose detrás de las orejas. Vio la mueca de Ignacia porque las secaba con el pañuelo. *Verbenas en Bouzas y en el Berbés. Se apiñaban para bailar al son de la charanga. Olía fuertemente a pescado, subía el olor a pescado desde la mar, desde la ribera, desde las barcas, desde los tinglados. Olían aún a pescado las mujeres, y a sardina y mar las manos secas y curtidas de los hombres. Un rostro ingenuo y duro, cuellos poderosos aprisionados en las camisas, el pañuelo yendo y viniendo: enjuga el rostro, enjuga las palmas de las manos... Abrían los botones altos de la camisa y lo colaban allí. Y ellos riéndose, ellos que habían bajado a verlo cerca porque hasta el jardín llegaban los sones alegres de la fanfarria, el colorido infantil de las bombillas y el estampido de los cohetes. Ignacia era ya una jovencita y aquellos hombres la miraban deseosa y furtivamente, y ella torcía el gesto —como ahora— porque estaban sudando y olían a brea, a algas y a pez. Flavia seguía el compás con la cabeza, pero Flavia era delgada, vertical, y para aquellos hombres no existía. A ellos —a Bernardo, a Agustín y a él— les fastidiaba que hubiesen venido las chicas, Ignacia sobre todo.* (Lo mismo que esta noche, sobre todo Ignacia.)

Porque la cosa fracasó antes de empezar, y él, que había esperado estúpidamente —¿no se había cansado aún de esperar?— siempre en acecho de la ocasión, algo que le salvase (¿de qué?), que le renovase, supo que era el final, que estaba triturando hasta la memoria, lo único que le restaba. Tuvo una enorme náusea —no se confesaba el deseo de llanto— cuando empezaron las primeras copas. Bernardo había pedido:

—Algo de beber. Algo fuerte para entrar en situación— porque debió de sentirse gordo, ridículo y súbitamente envejecido ante el recuerdo que le devolvieron los ojos de los demás.

—¿Os acordáis? ¿Os acordáis?

Ignacia ahuecaba la voz para decirlo, afablemente, y Nieves arqueaba los hombros bellísimos, inclinándose hacia él:

—¿Cómo era yo de niña, Moisés?

Y ponía la boca redonda para preguntarlo como cuando parecía una cordera.

—Tenías boca de pez.

Eso dijo. Y Nieves le miró con rabia, mientras César reía, mientras él deseaba magullar aquella boca para no verla, pensó.

—¿Te acuerdas? —preguntaba Agustín—. Éramos como gemelos...

Fingió que no le oía. Contestó a Constanza:

—Ahora un poco de sifón, gracias,

consciente de que Agustín le miraba con los ojos del animal que busca una caricia y rechazas con el pie. *Siempre detrás de Moisés, de niño. Agustín siempre detrás de Moisés. Lanzaba frases sueltas, ideas alocadas como globos, y Agustín se apoderaba de ellas hasta que Moisés las pinchaba y miraba, mordaz, el aire que salía...* Le gustaban las cosas trascendentes, al memo de Agustín. Se empeñaba en quererle, en sufrir por él, y agradecía hasta las coces con tal de que no le apartaran. Idiota. Idiota.

—Aquí estamos todos —suspiró Bernardo, riéndose.

Y entonces entró Flavia, y no fingió la voz, ni incitó al recuerdo. Entró vestida de escarlata y llevaba su mirada en alto y una expresión atenta, igual que entonces. «Ya estamos», se dijo Moisés. Y todo volvió dócilmente y se instaló entre ellos.

Flavia apenas les miró mientras aceptaba la copa, pero sintió sobre ella el peso de cuanto acudía. Estaba y no estaba, lo mismo que entonces, cuando jugaba al escondite («¿no me lo has preguntado tú?») y tomaba el juego en serio, y jugar con ella causaba angustia.

—Orí... —chillaba Ignacia.

—¡Orí! —se oía la voz atiplada de Agustín, y el:

—¡Cállate!

bronco y dominante de Bernardo.

Les miró sobresaltado. En algún lado había sonado el Orí. ¿De qué hablaban? ¿No había cruzado el aire aquel Orí de niños?... Pero los demás continuaban comiendo normalmente como si ninguna voz se hubiese alzado de ellos. Se enjugó la frente. (Estaba exasperando a Ignacia, a su lado. No era su culpa, no debieron de situarle allí.) Se escondía salvajemente si era Ignacia la que buscaba, porque entre todos parecía que sólo quisiera atraparle a él, como si todo el artificio del escondite se hubiese montado solamente para que Ignacia buscase a Moisés. Tenía un olfato especial que la conducía hábilmente hasta su escondrijo:

—¿Lo ves? Te pesqué.

Era infernal. En cambio no intentaba ocultarse si Flavia se quedaba, agachándose apenas detrás de la butaca de mimbre, en la glorieta, y Flavia pasaba sin correr, pero rápida, derecha, atenta en la oscuridad. Hoy había entrado en el comedor con el mismo gesto. ¿Qué buscaba?... Las luces de la araña de cristal rutilaban, se quebraban sobre los prismas, se repelían. *Era oscuro porque jugaban a esconderse cuando la noche caía pronta, en septiembre. Y él la veía desde la glorieta, pensando: «No vaya a tener miedo», pero sabía bien que Flavia no le conocía la cara al miedo. Si fuera Nieves iría canturreando. (Le había pedido antes, cuchicheando, tibia, en su oreja:*

—*Ponte detrás del macizo de dalias para saber dónde estás y no pasar miedo.)*

Aquel miedo era al miedo lo que las lágrimas de Nieves al dolor, o su risa a la alegría.

A Ignacia se le escapaba decir:

—*¡Chist!*

desde su escondite. Y Nieves, aunque sabía que Moisés estaba allí, iba cantando con voz temblorosa, metiendo ruido con los pies sobre la grava. Unas veces le prendía y otras no: le bastaba saber que le tenía allí... Aquello parecía divertirla y se volvía a quedar, y volvía a bajar canturreando, chirriando los zapatos sobre la gravilla espesa (Bernardo imitaba el chillido nocturno de un pájaro y Nieves se detenía, mirando a todos lados; Moisés estaba seguro de que le temblaban las piernas) o atravesaba el césped como un anfiteatro blanco de luna mientras a Moisés, sin saber por qué, le golpeaba ferozmente el corazón. «Vienes por mí... Sabe que estoy aquí. Viene. Viene.» Tenía ganas de llamar insensatamente:

—*¡Nieves!*

Ella se agachaba y sacudía las dalias con las manos, diciendo a media voz, para que todos oyeran:

—*Aquí no hay nadie. A ver... A ver...*

Y *él tenía que cerrar los ojos, deseando:* «*Que me encuentre*», *y era todo estúpido porque los dos sabían que estaba.*

—*A ver... A ver... —decía Nieves.*

Sentía el roce de las faldas de la muchacha contra las dalias.

Pero Flavia no conocía el miedo, pasaba rápida y lejana y ella sabía (estaba seguro, se lo iba a preguntar esta noche: «Flavia, ¿me veías?» ¿O no valía la pena preguntarlo ya?) *que él estaba allí, sin esconderse, sintiendo todo el misterio de la noche en el jardín donde jugaban a buscarse.*

Después, Flavia se detenía en el claro del césped, orientándose. La veía de perfil, tan precisa. Nunca entró en la glorieta y dijo:

—*Te cogí*

menos los días en que se refugiaban también los demás. (Apelotonados detrás del sofá de rejilla, cuando la vieron entrar cogieron los almohadones y se taparon las cabezas. Agustín e Ignacia se apretaban contra él. Ignacia reía ahogadamente, a borbotones. Cuchicheaba:

—*Cállate, aguanta la respiración...*

y él, Moisés, no podía aguantarla, no sabía por qué, y le vinieron unas ganas incontenibles, una necesidad de respirar fuerte lo mismo que un ternero. Y Agustín, del otro lado, se escondía en su hombro realmente asustado. —A Agustín se le dilataban los ojos de miedo siempre, como si fueran a prenderle en realidad. —Flavia dio un rodeo y vino hacia ellos con las manos tendidas. No la vieron porque se tapaban con los almohadones, pero sintió las manos delgadas palpándole el cuello y las orejas, leve, y cuando iba a darse preso vio que ella las retiraba, sin decir palabra, y pasaba a otro...

Silencio. Sentía contra él a la hermana apretándose, incrustándose, y a Agustín del otro lado. Ignacia le pellizcó para que no respirara tan fuerte porque la ley del juego exigía que se dijera el nombre en la oscuridad. Flavia dijo:

—Bernardo...

Y todos dieron suelta a la respiración. Pero Ignacia se puso furiosa:

—Has hecho trampa. Cogió a Moisés. ¡Yo sentí que tocaba a Moisés! Y Moisés le indicó dónde estaba Bernardo.

—¿Qué dices?

Ignacia, sin mirarle a la cara, con ojos brillantes, chillaba:

—Hacías ruido intento para guiarla. Resoplabas...

—Eso es verdad —dijo Agustín.

—Me ahogabais, no me dejabais respirar...

—Niega que te tocó. ¡Niégalo! —gritaba Ignacia.

—¡Si fueras un chico te arreaba un trompazo!

—¡Valiente! —azuzó, poniéndose en jarras.

Sintió como un disparo en la sien, un trallazo rojo en los ojos, y se encontró rodando con ella sobre las losas de la glorieta, y ella se defendía con arañazos y tirones de pelo mientras él pretendía sofocar la voz: «¡Valiente!», y otra, inverosímil: «No ha hecho nada. Por Dios... Tengan compasión», y golpeaba sin mirar, a puñadas, y supo que hacía una infinidad de tiempo —no sabía cuánto— estaba deseando pegar así, descansar así. «El niño... Moisés...», y la voz del mundo entero: «¡Valiente!» cruzándole la cara.

—Levantaros, venga ya...

Pero él tenía una fuerza inhumana, una fuerza ingente, de coloso, él tenía toda aquella fuerza acumulada, y sintió que le desgarraban la camisa para separarlos y que no podían con él; sólo se detuvo cuando Ignacia gimió, en un momento determinado.

—*Venga, qué haces ahí, ¡levántate!* —*decía Bernardo, ayudando a la hermana.*

Él se puso de pie solo, confuso, y no se atrevía a mirarles. Medio atontado —*había puesto la mano sobre una mujer... él sabía que había puesto la mano sobre una mujer*— *oyó que discutían mientras Ignacia se alejaba, calmada y vergonzosa. Flavia estaba diciendo:*

—*Toqué a uno de vosotros, pero no sabía quién era.*

Pensó asombrado: «Está mintiendo para defenderme».

Una alegría profunda, casi aire. «Es el ángel de la noche. Flavia es el ángel.»

Le pareció que la luna era roja, la muchacha oscura y la noche tristísima.

Se había secado el sudor con la manga mientras Ignacia se alejaba sin mirarle. «Es una mujer», trastornado de turbación y de respeto. Ignacia era ya Ignacia. Bernardo dijo:

—*Ahora que no le vaya con el cuento a tía Germana.*

Y Nieves, que era niña, les escuchaba destrenzándose el pelo, y Flavia le dio un manotón, pero Nieves parecía necesitase liberar su cabello y se lo sacudía sobre los hombros. Moisés estaba sin poder moverse ni hablar: todo se cubría de significado, todo parecía desatarse, precipitarse, en la noche.

Desde la terraza llegó la voz de tía Germana:

—*¡Niños!*

Modulaba la o sobre las avenidas.

Sin concertarse, se alinearon en fila de a uno y salieron de la glorieta hacia la puerta de atrás. Moisés marchaba detrás de Nieves y el pelo suelto le olía a madreselva.)

Habían matado a sus padres durante la guerra... (¿Por qué le querían llevar el plato? No había acabado de comer, había algo allí entre la salsa que se empeñó tozudamente en aprehender y se le escurría, se escapaba... Centró toda su atención en pincharlo.) Después, levantó la cabeza y miró a todos. Hizo un gesto hacia atrás significando: «Ya está, se lo pueden llevar», y observó que le dejaban al margen, pasaban a otro plato sin esperarle —¿o comió ya de aquello?, le parecía que no— charlando como si el círculo se cerrase y él quedara excluido.

Desaparecido el embarazo, bebieron también de aquel ácido vino blanco, de aquel leve y oscuro Burdeos; (sabía a corcho y a moho; tuvo ganas de advertir a Bernardo: «Oye, tú, se te pasó el vino», no fueran a creerse que él no sabía distinguir... Pero no valía la pena ni de jorobar.)

El vino era de un rojo tirando a marrón. Se le había secado la sangre. *La sangre en el suelo se hizo marrón, una mancha deforme marrón. Nunca había visto unos seres más desnudos en su verdad.* Le temblaba la copa en los labios, le temblaba el recuerdo, marrón, rojo y violento. ¿Por qué a sus padres?... «No os diré cómo era mi madre, no me lo digo ni a mí...» Brilló la hoja del cuchillo sobre el plato. La levantó. Pasó inconscientemente el dedo por el filo. «No debe hacerse.»

Se estaban riendo. Les miró, presto a levantarse. No era de él, se reían de sus cosas; hasta Flavia se reía. (Echaba un poco la cabeza hacia atrás, cuando reía.) Estaban bien, estaban a gusto, y él les miraba. Quizá no hubiese hecho otra cosa en su vida: mirar a los demás. Tuvo ganas de decir en alta voz:

—Habían matado a mis padres...

¡Qué idiotez, despertar compasión! Demasiado se había explotado aquello, demasiada blandura en torno —menos tía Germana—.

—*Estaba sobre el cuerpo de su madre, dándole aliento...*

—*Creímos que le habían malherido también, estaba sucio de sangre. Pero era la sangre de su madre...*

De pie, con el charco en el suelo, resbalando sobre la cera. «Brillen bien la cera.» La voz de su madre. (Brillen bien la cera para que pueda escurrirse nuestra sangre y formar tan extrañas figuras.)

—*Está atontado, va a desmayarse...*

—*Siéntate, Moisés, hijo, siéntate.*

—*Llevadle fuera...*

Pasaban con miedo junto a los cuerpos tirados. Miró con horror el diván de cuero, en la pared de enfrente.

—*Llevadle a otro lado* —*(¿Qué suave voz cuchicheaba?)*—. *No lo olvidaré mientras viva.*

—*No le atormentéis.*

—*Sobre la madre...*

—*...con su cuerpo, la cara contra su cara...*

No había que llorar en aquella mesa. No había llorado nunca por aquello, o al menos no había confesado nunca que llorara tanto, porque era la vergüenza, la profunda y abrasadora vergüenza la que lloraba desde él. Porque todo empezó en el momento mismo de las palabras de los demás y en su propio embotamiento.

Tocó la hoja del cuchillo. (¿No se moriría nunca? ¿Por qué demonios duraba esto tanto? Doce años entonces...) ¿Cuándo se moriría?

Entonces tenía doce años y creyó —sintió— que le quedaba poco por vivir. Siempre había estado en adelante con los nervios alerta, con una seguridad pasmosa de que todo acabaría pronto. Y los años pasaban y él se encontraba esta noche aquí, interrogándose sobre su final, o sobre su transcurso, extrañado de aquella gran estafa que era seguir viviendo cuando la vida hastiaba.

Doce años. El colegio. Capitán de equipo. Doce años... Le gustaría hacer algo rotundo y afilado como la espada, victorioso como una crin al viento. Y en cambio...

—*¡Moisés!*

Tía Germana en la estación de Vigo, de pie en el andén, un andén desabrido que olía a puerto. Y las pupilas de tía Germana estaban dilatadas, abría los brazos como para una crucifixión. Moisés bramó por dentro: «¡Ni una palabra!» Quedó helado de sudor, inmensamente desgraciado.

Pero tía Germana no habló. Aunque no conocía la guerra, tía Germana supo reconocerla en aquellos ojos de niño, amedrentados, que habían plasmado tantos horrores que ya no parecían ojos humanos sino fríos espejos, en los brazos caídos a los costados con aquel gesto inaudito a los doce años de soldado que se rinde, que se entrega, y no le importa ya ni el deshonor... La guerra —como los aviones cuando volaban sobre Vigo, o los bous patrullados que entraban a repostar al puerto— lanzaba a su vida aquel residuo humano, aquel memento vivo. Y ella, aunque no estaba preparada, gimió:

—*¡La guerra!*

Y no lo había dicho cuando había visto desfilar las banderas entre el acompasado ritmo de las centurias, ni cuando las grandes fábricas de conservas, de hielo, comenzaron a sustituir los obreros que marchaban al fuego, ni cuando escuchaba, en la calma de Vigo, los partes oficiales por la radio, ni al leer la prensa, llena de nombres conocidos, geográficamente propios, y a ella le parecía irreal que en aquellos montes donde había estado, o en las riberas de aquel río que vio, los hombres se enfrentaran y pudieran morir.

La guerra no era el plato único, ni hacer vendas, ni oler a heridas, a sudor y a pus por los corredores de los hospitales, ni siquiera pensar: «Este tren que parte desde Vigo, al llegar a un punto de nuestra propia tierra no puede continuar», que era como acotar habitaciones dentro de la propia casa; no era tampoco oír aquellas palabras dolorosas: «tierra de nadie». ¿No era tierra de todos? ¿Hermanos en la tierra no habían trabajado, afanado y muerto allí? ¿Podía existir una tierra, en España, que algún español no sintiera suya? ¿Podía no alzarse alguna voz contra el baldón de llamar «de nadie» a una tierra, que era negarle legitimidad de madre a la patria?

Tía Germana, al hallar al niño en la estación, pensó: «La guerra»... Aquello era la guerra. La guerra no era la guerra en Vigo, aunque hubiese soldados por las calles y en los cafés, y un aire de urgencia, y la profusión de banderas —rojo y amarilla, rojo y negra, blanco y aspas rojas—, pese a los letreros, los haces, los reflectores abriendo vías azules de luz en las noches altas, Vigo no conocía la cara inmunda de la guerra, ni su razón última.

—*Todas las familias tienen a alguien en el frente, Moisés* —dijo tía Germana.

Parecía excusarse de aquel sol tranquilo, de aquel aire salobre, de aquel poder andar sin pensar quién camina a la espalda.
No se trataba del frente. Era el envés, no la cara, lo que importaba. No un acto colectivo —¿quién me empujó?—, codo contra codo, llevado en volandas hasta hacerle frente. No la muerte en fragor, en nostalgia, como un himno o un mordisco de hierro: la sórdida, la astuta, la aviesa muerte filtrándose tras las puertas, sorprendiéndote en el sueño, avanzando por el pasillo entre los muebles de tu casa, deshaciendo un abrazo... La muerte-pecado, la muerte-rabia, aquella de que jamás te repones: la venganza. *Padre había caído de espaldas con los brazos abiertos, en cruz, y madre tuvo un gesto de pudor, de virgen, recogiéndose las faldas para morir.* Aquella era la entraña inmunda del hombre, el masoquismo, el sadismo, el falso coraje del invertido, la baba y la amargura de lo infrahumano rebasándose, desahogándose. Le parecía sentir de nuevo el cuerpo casi varonil de tía Germana ciñéndole mientras él permanecía rígido. No dijo una palabra, pobre tía Germana. Su única hermana y no preguntó nada.
Bajaban una calle en cuesta y olía a mar.
—He dado el coche para el ejército.
Subieron a un tranvía blanco con listas rojas que bajaba vertiginosamente —bajadas, subidas, todo en cuesta— con ruido de chatarra. Y tía Germana cogió el paquete del chico y lo puso sobre sus rodillas con amor. En verdad, todo su amor pareció cifrarse en aquel paquete mal hecho donde Moisés traía una muda y los zapatones del colegio. Y tía Germana miraba a través de las ventanillas hacia la calle de Colón, como si algo de allí le enajenara, apretando, a veces, distraída, el paquete contra su corazón. «¿Creerá que traigo algo?», pensaba Moisés. Y después: «¿Habrá que hablar? ¿Me hará repetir y decir...? ¡No!»

A la defensiva, apercibido, apretando los labios.

(Aquel paquete lo había hecho la madre de Paquito, la vecina del quinto.

—*No lleves mucho bulto. Ya tu tía...*

Evacuado con ella y sus hijos como uno más.)

—*Qué buena esa señora, Moisés. Me darás su dirección. ¿Tenía a dónde ir? Pudo venir a casa.*

—*No podían pasar, eran de izquierdas.*

Tía Germana le miró, asombrada. ¿Eran de izquierdas y estaban perseguidos también? ¿Y habían pasado entre sus hijos a su sobrino sabiendo que era hijo de asesinados? Dijo:

—*Mira, Policarpo Sanz: allí compro las flores...*
de prisa, como si hubiera que hablar de otra cosa.

Se había quedado en Francia la madre de Paquito, y le pareció que tenía lágrimas en los ojos, al despedirle. Le dejaron en la frontera misma, encomendado a unos que se pasaban, y ella quedó con sus cinco hijos, de pie, mirando hacia Irún, o a él mismo. Y Moisés no quiso volverse porque no tenía ganas de ver llorar más. (Paquito había entrado a hociquear el cuerpo de sus padres, y explicó luego dónde tenían los tiros, y que su padre tenía los ojos abiertos.)

El tranvía subía de nuevo, y había una rampa y después liso otra vez, y la mar a pedazos sobre la balaustrada, entre las edificaciones, por encima de los muros que acotaban jardines, villas. Mar, siempre, con su presencia en el aire, total.

—*Aquí.*

Tía Germana le oprimió la rodilla al decir «Aquí», y bajó detrás de ella. Había que descender aún para pasar la cancela de madera blanca. En Vigo siempre había que subir o descender, camino de la bahía...

La casa, que desde el tranvía parecía de una planta, como enterrada, constaba de tres pisos construidos sobre tierra en desnivel, porque la ciudad entera bajaba hacia la mar en vertida pendiente... «Había una palmera, en casa de tía Germana»... ¿Se le había escapado decirlo en alta voz? Porque Nieves y Agustín se volvieron a una, y le miraron lo mismo que si extrañas y conocidas palabras atrajesen. Había retratado a Nieves, de muchacha, apoyando la mano en el tronco de la palmera. Creyó que estaba enamorado de Nieves algún tiempo. O no lo creyó. O creyó que la deseaba rabiosamente, y era cierto. La pequeña Nieves... Sí, entonces pensó que estaba enamorado. *«Los primos no se pueden casar»*, de Ignacia. Y era aún mejor y peor para desearla. Además, él no podía. (Apretaba tanto las valvas del alma defendiendo que ninguna mano pudiera remover el fondo... *«Se pierde la cabeza, se divaga...»* No con Nieves. Con Nieves todo era elemental, jugoso e inocente. Con Nieves...)

La miró. Debía de estar mirándola hacía rato, sin darse apenas cuenta, porque se movía incómoda bajo su mirada, y ahora que sus ojos conscientemente interrogaban apartó rápida los suyos como si él estuviese haciéndole muecas.

«Entonces no los apartabas, Nieves. Querías saber...»

Todo el tronco le olía a palma, a la pequeña Nieves. Y en torno, subiendo de la ribera, de la ciudad, poderosísimo, un olor agrio e incitante a mar. Para siempre, aquel olor se le quedó en el olfato y lo unía al amor, no sabía por qué, y le incitaba al amor, abierto y ancho. *Y ellos estaban en alto y la ciudad se despeñaba hacia la bahía enorme, abierta y ancha también, encharcada de sol, y los ojos se deslumbraban si miraban muy seguido al agua reverberante desde sus cuerpos jóvenes.*

Y él sabía que Nieves, en invierno, saldría con otros muchachos, que le acompañarían los amigos de Gabriel, que tendría con ellos los mismos gestos indecisos y tiernos, inci-

pientes de mujer, desgarradores de mujer. Y no le pedía nada, no le exigía nada, ni siquiera fidelidad. Le quemaba agudamente si oía comentarios, pero después hacía un compartimiento estanco en el cerebro y allí metía a Nieves, la que miraba con él hacia la bahía de Vigo, y olía a mar y a palma.

Pero estaba pensando en tía Germana, ruda y de ademanes secos.

—*No discutas lo que te digo, hazlo.*

Aunque era enormemente recta, jugaba limpio. Te decía, después, riéndose:

—*Tú llevabas razón.*

No le habló jamás de su padre, no mencionó a su madre. Misteriosamente intuyó que eran palabras que le harían saltar o enloquecer y le dio la calma con su silencio.

«*Si quieres, puedes preguntarme, si quieres...*» *llegó a desear, después de mucho tiempo, sofocado por el silencio. Pero a tía Germana se le había pasado el momento de hablar.*

A veces sorprendía sus ojos, acerados y pensativos fijos en él, interrogantes. Bajaba de prisa los párpados ante el desconcierto de Moisés.

Tía Germana hablaba con sus amigas en la galería, en torno a la mesa donde merendaban:

—*...este niño.*

Alguna carraspeaba exageradamente para avisar que Moisés entraba, y se hacía un silencio enorme, aplastante. Ese silencio que, a veces, tía Germana resolvía diciendo como ausente:

—*Pasa un ángel.*
Y Moisés tenía ganas de escapar.

No era habladora tía Germana, ¿por qué daba tantas vueltas a aquello? Lo supieron en los jesuitas, lo supieron

en el instituto, lo supieron los primos cuando llegaron aquel
verano, ya terminada la guerra. Ignacia le buscó, con compasión blanda —se le veía en los ojos, en la manera de ceder
con él—, Flavia le esquivó, dejándole a solas, y Nieves fue
la única que preguntó, pero era tan pequeña que no dolía.
Podía mentírsele a Nieves o podía decírsele la verdad: todo
sonaría igualmente monstruoso. Bernardo le trató como si
tuviese sus años, y Agustín le amó, deslumbrado por aquel
halo rojo que la guerra colocara en torno a su cabeza de muchacho.

V

Estaba viejo, Agustín, prematuramente viejo. «¿Te acuerdas? Éramos como gemelos»... De su misma edad y sin embargo las espaldas cargadas, el cabello pobre, unas manchas rojas por la piel, los labios torpes. ¿Daba él a los treinta y dos años aquella sensación de desecho? «Eran tan parecidos, Flavia y él». Ahora solamente la línea de la nariz y de la barbilla podía identificarles como hermanos, porque Flavia seguía siendo recta y oscura, con la belleza de la noche alta —o quizá era más hermosa ahora, en su plenitud, en su plenilunio— y a Agustín se le habían degenerado los rasgos.

Pensó: «Mi obra». Una vaga sensación de culpa. «No. Cada uno hace lo que le da la gana». Y sabía que no era verdad siempre, que no fue verdad para Agustín, de niño. (Debieron de repetirle el viejo cuento: él echado sobre la madre, cubriéndola con su cuerpo. Él, sucio de sangre. Él, testigo.) Para Agustín se convirtió en el mancebo-héroe, el mancebo-ángel.

—*No hay que hablar de eso, no remover.*
—*No le habléis de eso al primo.*

El primo crecía y crecía, resplandeciente y alto y enigmático como el misterio de la muerte, como el violento y enardecedor misterio de la guerra. Seguía sus pasos —¡qué difícil sacudírsele para acudir junto a Nieves!—, aunque llegó al convencimiento de que Agustín lo descubrió y quiso más a su hermana desde entonces: qué extraño el animal humano...

Bernardo, en cambio, supo preguntarle:

—¿Cómo podíais vivir si no eran los vuestros?

Parecía reclamar que hubiese muerto también. Como si fuese obligado morir y una cobardía seguir viviendo entre los otros. Moisés pensó: «¿Qué entiende éste por vivir?». (Su padre, lívido, sin corbata, para que no supieran que la usaba, o para que no le señalaran por lo que era, precipitándose a abrir los armarios ante aquellos hombres... Servil, arrastrándose. Y él con asco y vergüenza por su padre... A la hora de la verdad quiso defenderse todavía, no hacía más que decir: «Voy con ustedes. Un momento y voy con ustedes».)

—¿Había muchos tiros? ¿Viste algún bombardeo?

Moisés contestó:

—Sí,

escueto. (No vio los aviones. Los aviones para él eran el pecho de su madre, tibio, con un corazón que batía tan fuerte que resonaba dentro de la cabeza de él. Abrazados los dos, apretados contra el ángulo que formaban las paredes junto a las ventanas —«pared maestra», había dicho papá—. Y papá fuera de su escondite, insensatamente deseando:

—Ojalá nos arrasen...

O decía, impaciente —se enfadaba mucho durante aquel tiempo—:

—Bajad al entresuelo, que viene la aviación;

y mamá protestaba:

—No sin ti. Tú no puedes bajar.

—¡Vete! El chico...

y mamá no contestaba, pero se le hacían los ojos enormes como a una niña, apretando la cabeza de Moisés fuerte contra su pecho y cubriéndola con su brazo para que no oyera los aviones, para que no le alcanzaran. Eso era «bombardeos» para él.)

Muchos tiros, secos, breves, como de un juguete de niño. Y dos o tres más, sordos, alevosos, aquellos debieron de ser...

Desde el momento terrible que cubría —¿cuánto tiempo?— Moisés fue adulto, no se entusiasmaba por nada, guardaba aquella inabordable frialdad a una edad en que todos, por una cosa u otra, se prendían. Agustín procuraba imitarle, y a Moisés le nació una rabia, una voluntad de herir —más tarde pensó que quizás aquellos hombres tuvieran la misma rabia, la misma voluntad de herir, como él, por un principio frustrado, por un saberse secretamente disminuidos—. Y se cebaba con Agustín. Le fustigaba con sus palabras secas, irritadas, le nacieron palabras soeces, una sabiduría de lo equívoco para golpearle.

—Si juegas tú, no juego.

Sin explicación. Se sentaba, cruzando las manos como un viejo. Y Agustín, tembloroso, expulsado de su mundo y de su ángel, se quedaba con aquel gesto de angustia, rastrero y vil. «Si al menos se revolviese, qué bueno aplastarle las narices».

Desde entonces aprendería Agustín el placer enervante de sufrir, de que le humillaran. Gozaba llorando, de hombre. O al menos se disponía a gozar llorando.

—No te fastidia este marica...

Y Agustín le miraba míseramente. Llegó a preguntarse de verdad si sería anormal Agustín. No lo era. Era un blando.

—Este tío llorón. Este tío flojo...

decía Bernardo. Y no le dejaban participar.

Aunque luego, a solas, despacio y con helada, calculada voz, fuera desposeyéndole de inocencia y de fe.

—¿No crees en Dios? ¿De verdad, tú no crees en Dios?
Descompuesto, Agustín, mirándole pasmado. Aquello no
se podía oír, hacía daño.

—...igual que nos engañaron con los Reyes, igual que
nos engañaron con los niños. Es necesario a una edad. O a
las mujeres.

Se dio cuenta de que no creía en nada cuando atacó a
Agustín. Y se sintió fuerte porque en nada creía. (Quizá no
tanto como pensó, sino ¿por qué aquel dolor agudo cuando
leyó la Vida de Jesús, de Renán, a escondidas, prestada por
un compañero? ¿Por qué aquel deseo vivo e hiriente «Continuar como antes», y saber que no era posible, y darle la sensación que una resaca fortísima arrastraba lo que quedaba de
poso en él? ¿Por qué aquella mezcla de indignación y de
amargura? ¿Y aquella enorme total sensación de soledad, si
no creía?)

—¿Te vienes a Samil?

—Pero...

Agustín volvía los ojos, inquieto, hacia el reloj. Tendía
el oído a los movimientos de la casa, la voz de tía Germana:

—Niños, la misa...

y Moisés, despacio, se alzaba de hombros y pasaba sin mirarle,
con la toalla al brazo.

—Espera, voy contigo.

—Puedes quedarte. Te lo haces en los pantalones.

Marchaba hacia el tranvía, derecho y hosco, sin volver la
cabeza atrás, pero seguro de que Agustín venía.

La vez primera, Agustín, en la playa, le causó compasión.
Estaba de pie en la arena, nervioso, y miraba hacia la mar.
Y se fue a nadar y nadaba cerrando los ojos, para no verle
o para no verse. Después se tumbó sobre la arena y no des-
pegó los labios. Perdió la angustia también.

—¿*Vamos al baño?*

Moisés le contestaba, con desprecio:

—¿*Y la misa?*

Y Agustín se quedaba desorientado porque lo había dicho como si le escupiese.

Más tarde, Bernardo y él le leyeron las cartas que recibía de una mujer, unas cartas torpes y claras de mujer inferior, con los labios grasientos estampados sobre el papel.

—*Este tío idiota le hablará del mar y de las flores* decía Bernardo, riéndose. Y miraban juntos el retrato pequeño que escondía en la mesilla de una mujer opulenta y vulgar, «mucho mayor que él». Moisés lo sabía ya porque Agustín le había contado orgullosamente algo.

—¿*Te has acostado con ella?*

—*Pero* ¿*qué te crees?*

Y Agustín se sofocó. Por una vez, indignado, defendió las cualidades morales de aquella mujer que continuamente le repetía: «Ya-sé-que-no-soy-bastante-para-ti», y se enternecía, repitiéndolo. Moisés le miró tranquilamente, y le dijo:

—*Debe de estar deseando que acabes de una vez.*

Y Agustín se asqueó de él, y le huyó durante aquel verano, y se encerraba para escribirla. A Moisés le escocía su deserción, aunque nada dijo, dedicándose a salir con Bernardo.

Pero sus palabras trabajarían en él, porque a medio invierno recibió unas letras desde Madrid —entonces estaban los primos estudiando en Madrid— y casi al final de la carta escribía: «Tenías tú razón en lo de Anita». Moisés se rio con amargura.

Ahora tenía una querida fija, Agustín. Se creía bohemio, se creía perdido y había que tener una querida. Podría casarse y hacer un buen padre de familia —era tan fiel, no le

importaba sufrir por quien amaba, seguro que haría un buen
marido—, pero había caído en las manos voluntariosas y vo-
races de Choni. A veces, cuando estaba con sus hermanos,
como hoy, y vivía aquel ambiente ordenado, Moisés adivinaba que un atavismo oculto tiraba de él y se sentía fuerte
para acabar con todo. Pero después estaba el vino, y Choni,
y la costumbre. Y, sobre todo, la holganza. No había acabado carrera alguna ni había buscado ningún trabajo: vivía
de una cantidad fija que Bernardo le servía a principios de
mes. Lo que le tocó de sus padres, negociado por Bernardo,
invertido por Bernardo. (Moisés pensaba que Bernardo prefería
que su hermano se contentase con aquello, le dejase las manos
libres, no interviniera. Y no porque le estafara, sino porque
a Bernardo no le gustaban ingerencias.)

Consciente de su propia inutilidad, la recubrió de un aire
bohemio y distinguido —había sido atractivo, Agustín, con
la cara un poco acaballada, como Flavia— y llenaba su vida
de pequeñas y fútiles preocupaciones, y concedía importancia a lo accesorio. Vivir con Choni, quererla desesperadamente —siempre amó a las mujeres como había amado y
amaba a Moisés—, dejarse engañar por ella, y arrastrarse
y beber para olvidar y buscarla de nuevo al final de la borra-
chera y del olvido.

Cuando supo —Moisés no se molestó en disimular—
que en su ausencia recibía a Moisés se puso pálido y patético
como el día en que le preguntó: «¿De verdad tú no crees
en Dios?», como el día en que fue a bañarse a la playa de
Samil, faltando por vez primera a misa.

*Se hundiría en la vida de familia; durante una semana
no supieron de él.*

—*¿Y si no vuelve?* —*preguntaba Choni, inquieta.*

Miraba en torno los muebles del piso, la caliente segu-

ridad, y con rencor a Moisés. Moisés se divertía viéndola atrapada y no procuraba tranquilizarla.

Claro que eso sólo fue las primeras veces, después Choni le conoció tan bien como él, y le manejaba y le despreciaba, y supo que podía ahorrarse la prudencia.

Agustín en su pensión, a una hora temprana, con aspecto derrotado (Moisés no había aceptado la hospitalidad de la mujer, no quería atarse). «Ya está aquí éste».

—*Bueno, hombre, ¿qué te pasa?*

Le hizo una escena completa de perdón, una escena degradante que iba a llevarle en línea recta al domicilio de Choni. Al principio se aferró a que Moisés lo negase, aunque estaba seguro de la evidencia, pero Moisés no se molestó en negar. Borrosamente había pensado, al despertarse bruscamente con Agustín dentro del cuarto: «¿Y si viene a matarme?», pero después comprobó que venía a asirse a una mentira, a solicitar una mentira. Le fue negada.

Naturalmente continuó con ella, y ella le contaba, riéndose, el aguante de Agustín, y él se volvía frío y se marchaba.

—*¿Te vas?*

Iba ya hacia la puerta.

—*¿Así, sin más?... Moisés, mira que hago una barbaridad.*

Y era él quien deseaba matarla, verla hozando en su propia sangre, y chillando, porque hacía mofa de Agustín. Absurdo. Herido porque ella despreciaba a Agustín, a quien él le ayudaba a engañar.

¿Qué hacía Choni esta noche? Alzó la copa y se dijo: «A tu salud», mirando hacia Agustín con aquellas mejillas fláccidas, el pelo escaso y los labios viciosos —se estremeció porque se parecía a Flavia—, a Agustín, pelele humano, y por un momento se dijo: «Estoy bebido. De verdad esta vez», porque creía ver un resplandor en torno a su primo, el resplandor sombrío de su destino en la mano que alzaba lentamente hacia la cara. Y se dijo: «No. ¡No!», una cosa era desearlo y otra el frío agudo del cuchillo bajándole por la espalda. Confusamente: «Agustín, siempre te he querido», o: «Agustín, acaba de una vez, sin darme cuenta»...

Y le volvió el miedo de sus doce años —se estremeció de placer porque aún podía sentir al menos miedo— y una piedad sin límites no por sí mismo sino por Agustín, que quizá no hallara fuerzas para rematarlo.

VI

L AS cortinas eran claras, unas cortinas largas, de una tela pesada. Eran sobrias. Los criados al servir se inclinaban o se alzaban recortados sobre las cortinas. «Qué bien vive Bernardo». No le dolía. Simplemente aquellas cortinas claras, discretas y calientes. «Qué bien vive Bernardo».

Se daba cuenta con absoluta certeza de que la conversación se mantenía con vivacidad forzada: sonreían, hablaban, se miraban, o evitaban mirarse, como si entre ellos se hubiese colado un extraño y hubiese que sofocar su idioma diferente. «Tener un pariente pobre, con los codos brillantes...» Ganas de reírse, por Ignacia. Había resultado una refinada venganza. (¿Pero quién de ellos pensaría «pariente pobre»? Bernardo diría: «vago»; Nieves: «pobre», en el sentido de pobreza; Constanza: «pobre», con misericordia; Gabriel: «degenerado»; «pariente pobre y degenerado», Ignacia; «incómodo», para César; y Flavia: «pobre», también, pero en el sentido de criatura humana.)

No pensó en Agustín: era como preguntarse qué opinaría de él su sombra.

«Tienen miedo a que meta la pata», y volvió a reírse de nuevo, para sí mismo, y de nuevo Gabriel le miró e Ignacia bajó la vista al plato respirando de prisa. Bernardo habló más alto, sin interrumpir su calma, y todos se lanzaron a sus pa-

labras, saltaban de un tema a otro (le parecía que durante
toda la noche habían estado recordando hechos y mentían al
relatarlos). No valía la pena de levantarse y decir:
—No fue así
porque el tiempo les había deformado y habían llegado a ser
así para ellos.

Sí. No era una idea. Los criados le servían con cierta
superioridad, como si ellos también creyesen que su sitio no
era aquél, y la culpa era de las palabras precipitadas, sin mirarle, las sonrisas amables, el repetir: «Qué-gusto-estar-todos-
reunidos», porque había que evitar que Moisés hablase, que
alzase la voz —ellos supondrían que pastosa— y dijese algo
que escandalizara al servicio. Aunque, de fijo, Agustín y
Flavia no pensaban de ese modo, aunque Agustín desafiase
la opinión de sus hermanos o hallara placer en provocarles,
volviéndose a él y diciendo:
—Come más, Moisés. ¿No quieres más?

O a ratos, intencionadamente, no le mirara, gozando al ver
que sus hermanos le humillaban, instrumentos de un deseo
que él nunca pudo llevar a cabo.

Pero después se apuraba —era como si le postergasen a
él mismo— y se volvía para decirle, cariñoso, urgente:
—Come más, Moisés; o:
—¿Eh, Moisés?

Y Flavia deseaba desde el fondo de su corazón que se
marchase, no por los motivos de los demás, sino por él mismo, porque pensaba que él estaba sufriendo. «Te equivo-
cas. Los desprecio. Tengo ganas de reírme y los desprecio...»

¿Por qué le habían invitado? ¿Por qué había insistido
Bernardo, si podían vivir sin él? Sobre todo ¿por qué se le
ocurrió ir a su despacho y el otro salió con aquella invitación
como para que se marchara pronto, se marchara con aquello,

sin pedir más?... «No iba a pedir nada. Pasaba por allí y subí a verte, me entraron ganas de verte... Me encontré subiendo los peldaños de mármol, no sé por qué, y los empleados y hasta los botones se volvieron a mirarme con recelo». Aquella mujer anodina —no recordaba su cara— que entraba y salía con papeles y los presentaba a su firma (y Bernardo firmaba sin siquiera mirarla, como si el brazo de ella fuese la pieza de una maquinaria, y seguía hablando así, firmando sin quebrar la frase, como si firmar en él fuese lo mismo que respirar en otro), entró diciendo:

—Le están esperando para el consejo.

Debió de haber sido aleccionada antes, cuando él anunció a aquel muchacho de uniforme en el vestíbulo:

—Dígale que es su primo Moisés.

Y Bernardo tomaría sus medidas. Le hablaba de pie, parecía indicar: «Ya ves, no tengo tiempo para nada».

—...*pero ven a comer a casa. No dejes de venir a comer y charlaremos. Está Nieves aquí, con su marido, sólo unos días, ¿no lo sabías? No te vemos nunca, hombre.*

Él había preguntado tontamente (qué estupidez preguntar):

—*¿Es feliz?*

—*Les va muy bien,*

ya hacia la puerta, dándole golpecitos en la espalda.

¿Por qué aceptó? ¿Por qué no se había rebelado nunca? ¿Por qué no le dijo con calma: «¿Puede ser feliz con ese manso?» Y quizá entonces Bernardo y él se hubiesen hallado a un mismo nivel y hubiera resultado fácil hablar como de muchachos. Quizá, alzándose de hombros, le hubiese dicho:

—Tú conoces a Nieves...

(Eso no hubiera dicho, pero él lo hubiera comprendido de todos modos.)

*Salió con vergüenza, como si de verdad hubiese ido a pe-
dir algo y le hubiesen dejado con el sablazo dentro, casi
aplastándose contra la pared de aquellos pasillos alfombrados,
aquellas inhumanas puertas relucientes con unas chapas doradas:* «Señor Director», «Caja»... 6... 7... 9... *¿Qué era o
quiénes eran 6, 7, 9?... Bernardo había hecho un ademán
y un botones le acompañó hasta el ascensor. No dijo:* «Deje,
ya voy yo», *pero quería sonreír como excusándose, y el otro
en su uniforme —con la cruel ironía del pobre al pobre—
apretó el botón que cerraba las puertas automáticas, verdes,
como una caja fuerte. Desembocó en el gran vestíbulo de
mármol, en semicírculo, y le pareció que desde detrás de las
ventanillas le observaban, procurando andar con desenfado.*

—¡Soy su primo! —*tenía ganas de gritar, de ponerse un
letrero también él.*

*La humillación terminó en la calle. Halló el aire de la
calle cálido y maternal. Había ternura en la calle, en la hora
gris de la calle de Alcalá, en los escaparates que comenzaban
a encender sus luces, en las voces vivas y pronto alejadas
de los que le empujaban al pasar, en la mujer que ofrecía
lotería... La calle le apaciguó.*

«Semejante cretino... *¿Qué es él más que yo? Se meaba
en la cama a los nueve años, y le cateaban de todas, todas.
En matemáticas...»* Se paró a reírse: «Le cateaban en matemáticas, ahí tienes»... *Y ahora manejando enormes columnas de números, disponiendo desde sus teléfonos* —¿no era
una afectación todos aquellos teléfonos?— *complicadas ope-
raciones, pudiendo influir una orden suya en la subida o bajada de la Bolsa. Se imaginó la Bolsa como el saco en el vientre de los canguros. La había visto y era triste, un purgatorio
frío o una lotería vertiginosa y despiadada, sin la alegría
cantarina del sonsonete de los colegiales de San Ildefonso y de*

los décimos coloreados —rojo, azul y verde— cargando de
magia lo que de muy infantil tenía la esperanza, sin la cer-
canía palpable, humana, del ser humano que la ofrecía.

Le abrasaba el saber que aquella seguridad acolchada de
Bernardo —la seguridad del dinero— él no la tenía. Y que
gordo, feo —rasgos bastos, sensuales, morrillo alto en la espalda—, se le entregaban las mujeres. «Porque huele a dinero». Había adquirido aquel enorme aplomo que le venía
del talonario en el bolsillo interior de la chaqueta. «Donde
otros tienen el corazón», pensó Moisés. Injusto. Bernardo también, a su manera... «Encima se permite el lujo de tener corazón o algo parecido». Rió: «Un sucedáneo». *La noche aque-*
lla, los dos solos, hundidos en los sofás de cuero, y Bernardo
hablando. Quizás a nadie más que a él se le podía contar algo
así, o más bien sólo a él se le podía pedir un favor así. Constanza inspiraba respeto, al menos a Moisés que conocía lo
que nadie conoció, lo que probablemente ella misma igno-
raba que conociera. Si no, no se volvería preguntando con
sonrisa maternal:

—¿Era muy pillo entonces?

Moisés la miró conmovido y vio sobre Bernardo otro Bernardo, joven y ya rollizo, perezoso y con malas mañas, que
llevaba al cine a la sesión de las cuatro a la hija del pescadero,
y que entraba en casa al anochecer, silbando, y que se arries-
gaba (cualquiera pensaría: «Tan vehemente», pero tenía ya
calculada la salida). Y la mujer que no había conocido aquella vehemencia del marido le admiraba, sin embargo, y había
hallado en su admiración y en su ternura fuerzas para perdonar.

«No ha fracasado, el muy cerdo, lo tiene todo».

Se dijo si aquel todo le hubiera bastado a él... Si aquel
todo le bastaría a Flavia, casada con un hombre blanduzco,

como sin huesos, un hombre inexistente, que apenas hablaba, taimado, que hacía pagar a Flavia —según decían— su contextura física de epiléptico, que se sentía audaz, fuerte y brutal con ella, a solas, sin duda para demostrarse a sí mismo que podía ser fuerte, brutal y audaz con alguien. O para vengarse de no serlo. Que le pegaba despiadadamente, como un animal rabioso, hasta que el cuerpo se le relajaba y caía agotado, babeando perdón. Aquél era el marido de Flavia... Un poso negro subió a los ojos de Moisés y los cubrió de duelo. Aquél era el hombre de Flavia, que no la dejaba descansar, y Flavia —él la había encontrado a veces en la calle— no se avergonzaba de sus continuos embarazos y los llevaba con agilidad y su mirada tranquila. Él no la miraba a la cara cuando la hallaba así, sino al nacimiento del pelo o a otro lado, porque temía que su mirada se escapase como un perro suelto hacia aquel vientre abombado —abombado, bóveda, templo, Flavia— y entonces sería como si gritase con los nervios, con las venas, con su raíz primera y última: «¿Cómo te dejas?»

Flavia decía siempre, sin cansarse:

—*Tienes que venir por casa. Pensar que no conoces mi casa...*

Y él podía contestarle que había conocido una casa suya —aquélla le había quedado dentro—, el cuchitril de un tiempo debajo de la escalera.

Entró un día con Nieves, por curiosidad de Nieves, no de él, y agacharon la cabeza para entrar. Tenía el techo inclinado y al final no cabía una persona sentada, las escobas rígidas a la derecha, y un escobón con una enorme, apaisada cabeza de pelo negro, paños de polvo amarillos con franjas rojas, y el olor fresco, limpio y delicioso de la cera. Unos botes amarillos: cera Alex. Y un recogedor como una paleta.

Todo cuadrado, recto o anguloso, y a la izquierda, donde el techo empezaba a bajar, una linterna, un cuaderno de hule, un lápiz, una goma, un Niño Jesús sin mano —manco de la mano que bendice— y una pila de placas de cristal para mirar.

Se sentaron los dos para revisar el cuaderno, y Nieves dijo:

—*No tiene nada,*

y él pensó: «*No tiene nada*», mirando en torno. Ahora, al recordarlo, le parecían brazos descarnados las escobas, terriblemente expresivo y escueto todo lo demás. *Y aunque pensaba «no tiene nada», no pudo apartar de su imaginación el cuchitril, su imagen le volvió durante aquellas vacaciones, y cuando los seis hermanos marcharon y él quedó solo en la casa enorme, cogió sus libros y se dijo: «Voy a estudiar allí», pero no pudo estudiar porque el cuchitril era de nuevo sólo un cuarto de escobas, aunque todo estuviese ordenado lo mismo —únicamente el montón de la izquierda había sido cubierto por un paño de vajilla blanco—, aunque estuviese la cera y la cabeza negra del escobón y el recogedor aristado.*

Pensó en buscar otro sitio suyo, sólo para él, lo deseó con ardor, «completamente solo», se decía, aunque nunca lo hizo porque a última hora le parecía teatro. «Completamente solo» estaba en cualquier lado en cuanto se marchaban los primos. No había más que tía Germana a la vuelta del colegio, y tía Germana era de una pieza, hubiese despreciado todo lo espectacular.

Tía Germana estaba siempre en el despacho, cuando él llegaba, y ya desde la puerta, casi sin levantar la cabeza, decía:

—*Haz los deberes*

sin darle apenas tiempo a respirar. Y él no la besaba —la be-

*saba rara vez, el día de su Santo o en Año Nuevo o si iba de
viaje (Moisés recitaba inconscientemente: «¿Cuántas-veces-
habremos-de-hacer-esta-señal? Principalmente al levantarse de
la cama, al salir de viaje, al comer y al dormir»), pero sabía
que sobraban veces—, iba al cuarto de estar y ponía los libros
sobre la camilla. Después tía Germana acudía, se sentaba
junto a la luz de pie y se ponía a calcetar. Siempre preguntaba:*

—¿Te molesta la radio?

Moisés decía:

—No,

*y trabajaba con musiquilla al fondo, o funciones de teatro, o
anuncios. Los anuncios martilleaban los párrafos aprendidos
de memoria. A veces, al levantar la cabeza, hallaba que tía
Germana estaba mirándole. Preguntaba bruscamente:*

—¿Te sale?

y él sin contestar le alargaba el cuaderno.

—Qué problemas os ponen,

desorientada. O:

—Puedes irte a jugar,

*dulcemente, de pronto, con la mirada perdida. Recogía los
cuadernos, sin mirarla, y se iba a escape, porque sentía que
tía Germana no estaba pensando «¿Te sale?» cuando la sorprendió mirándole.*

VII

No valía la noche, porque habían cerrado a conciencia las ventanas. Era agobiante... Por la puerta de correderas que comunicaba con la sala llegaba a ráfagas un airecillo vergonzoso que se escapaba de la terraza. Moisés separaba un poco los brazos al sentirlo. A Bernardo le relucía la piel. ¿Por qué no mandaba abrir las ventanas? Quizá por Constanza. Sería por Constanza. Estaba a su lado, ridículamente vieja, con aquel traje escotado de jovencita y el cabello teñido recogido hábilmente en lo alto de la cabeza, desparramado en buclecillos sin lograr disimular que entre las raíces, mondo, le brillaba el cuero cabelludo. Aquella era la mujer de Bernardo, la riquísima mujer de Bernardo, la infeliz mujer... No infeliz: reía tolerantemente llevando al escote sus manos gordezuelas y cortas, en que brillaba un solitario enorme. Cruzaba su mirada bondadosa con la de su marido. Bernardo parecía decir —para Moisés estaba claro—:

—Ésta es mi familia, vieja... Una lata. Pero la familia es la familia.

Y había cierta gratitud entre los dos. No era infeliz. Inaudito. (Él había compadecido y despreciado vagamente a la mujer de Bernardo. «No se creerá que va por otra cosa. Se encuentra lo que busca».)

Y esta noche, de una manera casi tangible, podía apreciar que un soterrado cable de ternura les unía a través de la mesa, en su puesto a través de la vida también. Bernardo la quería... Asombroso. Había necesitado llegar a esta noche para darse cuenta de que era falso cuando alguien se reía:

—Menudo braguetazo... Hecho un as con el dinero de su mujer. Claro que aguantarla... Yo no tendría esas tragaderas.

Él no comentaba por indiferencia, porque siempre había previsto —o le pareció cuando sucedió que lo esperaba— aquel final para Bernardo. No comentaba, pero pensaba que el primer día que lo tuviera delante iba a aplastarle con su mirada altiva, su mirada que no se hipotecaba, solitaria y libre. Y ya entonces le sorprendió encontrar a un Bernardo bullicioso y a sus anchas, un Bernardo que desde los primeros meses de su boda daba golpecitos protectores sobre los hombros, que se instaló en una suerte de superioridad del dinero —del parachoques que el dinero es— como quien se pone la camisa propia, con iniciales propias... Pensó: «Me huirá los ojos, ladino»... No huía nada. «Jugando el papel del bonachón, del hombre sencillo, él, que era calculador e iba a lo suyo hasta cuando tenía la boca caliente... No se exponía por nadie, no se comprometía por nadie». Y fugazmente le cruzó el recuerdo de unas piernas largas, una melena cobriza, unos dientes brillantes y espléndidos, y las lágrimas de la chica y las escenas rabiosas de la chica. Él las había soportado.

—*Vete a él con ese cuento.*

Bernardo decía con risa taimada:

—*Mira tú, que lo hubiese pensado antes, que ya tiene uso de razón.*

Siempre fue rollizo, Bernardo. El mayor de los pequeños (el mayor era Gabriel, pero no contaba, no participaba del mundo de los niños) y le llevó por vez primera al barrio de la Herrería.

—*Sin que se entere el memo de Agustín.*

Una vez en aquella casa de portal ciego, Bernardo se convirtió en un muchacho sudoroso —le sudaban las manos, azarado, no sabía qué hacer con ellas—, se reía a trompicones para disimular que se le trababa la lengua, empujándole, tanto que tuvo que explicarse Moisés, y comprendió que no le había llevado malignamente, sino como seguro. Bernardo era de aquellos que necesitaba a otro para divertirse, alguien ante quien comentar después. No se concebía a Bernardo solitario nunca. Ni en su despacho estaba solo: todos aquellos teléfonos, el dictáfono, la mujer anodina entrando y saliendo, los empleados... Debía de tener horror a su propia soledad, «a su propia nada», pensó Moisés.

En cambio él era como la roca. Solo. Sufría solo, que era decir vivía solo. Con nadie compartía ni el pensamiento ni la memoria. (¿Hubiera sido bueno compartirlo? No hubo disyuntiva. Las mujeres se hubiesen apartado —quizá no Flavia— y los hombres le tratarían como a un disminuido. Un letrero sobre la frente (¿hubiese sido mejor llevarlo en la frente en vez de llevarlo incrustado hasta el corazón, dentro, sin que nadie lo viera, royéndole felicidad y amor, y paz y fe?...) ¿Fe a qué? La fe de Flavia, derecha como una llama. Aquello que la permitía —adivinaba que era aquel sentimiento el que la mantenía— hablar con alegría de su hijo inválido, estar junto a su marido sin un reproche, hablándole con su voz oscura y leve.

«La fe de Flavia». Pensó: «La fe de Flavia», y la miró de nuevo, tan derecha, en su funda encarnada, como un símbolo. No había traído a su marido, Flavia, o quizá fue Guzmán quien no quiso venir.

(—Reunión de familia, vaya lata... Aguantar a tus herma-
nitos o al degenerado de tu primo... ¡Pocas bromas con tu
primo!... A que Bernardo nos pase por los hocicos su dinero,
sus negocios. Pues yo no le hago el juego.

—Constanza ha insistido tanto...

—¿Te prohíbo ir yo? ¿Te digo algo yo?

Ya estaría gritando, gesticulando.

—Por mí, vas y te quedas a vivir allí, si quieres. Pero yo
he dicho que no y es que no... Yo no soy un muñeco. Te
hubiera gustado que lo fuese para poder manejarme, ¿verdad?, pero te veo venir siempre... Tú vas y te relames de
gusto con el dinero de tu hermano, ¿entiendes?

Furioso:

—¿No ves que quiere pasárnoslo por las narices?... Yo me
quedo.

—¿Qué les digo?

—Lo que te dé la gana. ¿No eras la lista de la casa? Pues
discurres lo que te dé la gana, conmigo no cuentes.

Y a última hora se había sentado en el cuarto de estar
con Manuel en brazos, enseñándole estampas, atento a los
ruidos en el tocador, para que cuando ella entrase brillante,
con su funda roja, le encontrase así, con los otros niños albo-
rotando en torno.

—No molestéis a papá. Al cuarto de jugar, niños...

—Déjales, no les gusta quedarse solos.

Dejaba que Flavia se acercase y le besara en la frente, es-
trechando a Manuel.

—Siento ir sola.

Y él la miraría un momento dudando si decir: «Vas
porque quieres», o si desnudarla a empellones, pero:

—Alguien tiene que quedarse con Manuel. Diviértete, no
te importe... Manuel sufre cuando nos vamos los dos.

Y Flavia casi escapaba de aquel hombre que se levantaba
con Manuel en brazos diciendo:

—Vamos a decir adiós a mamá.

—¡Qué guapa vas, mamá!

—A ver, mamá...

gritaban los otros. Manuel no podía gritar, pero sus ojos inte-
ligentes admiraban a la mujer de rojo, morena y brillante,
que huía.

Flavia, un momento quizá, deseara rebelarse, gritar delante del hijo que no oía:

—Es inmundo lo que haces. Eres un miserable. Para que
se crean que yo...

Sólo un momento. Llevaría su mano delgada y morena al
pecho, sonriendo para sus hijos —para su hijo Manuel—,
sonriendo al hombre también, y se iba, muy derecha, porque
no le gustaba inclinarse bajo los golpes). Quizá por aquello
le había parecido su frente iluminada al entrar.

¿Fe en Flavia? No había amado nunca a Flavia y nada
le escoció como su deserción. Flavia no era el amor, era la fe.

(¿O van las dos cosas juntas? ¿O todo era falso desde un
principio? ¿Y si él había tomado por amor a Nieves; por
pasión, tantos cuerpos ocasionales de mujer, y sólo fuese verdad aquel espíritu leve que animaba los ojos de Flavia, y la
hubiese amado —estúpido, inconsciente— a través de todas
las demás?)

Pero no, hubiese sido tan fácil de niños, con menos contención... ¿Tenía Flavia ahora un cuchitril en su casa? ¿Te-
tenía un cuchitril en su vida? Escobas, recogedor, un Dios sin
mano, una goma... ¿Estaba él entre todos los desperdicios
que Flavia recogía?

—*Flavia se va a casar.*

—*¿Ya sabes? Flavia se casa...*

Él no se movió de Vigo entonces, aún vivía tía Germana, y la acompañó hasta la estación cuando marchaba a la boda.
—*Cuidado con ese paquete. Coloca bien la maleta, Moisés.*
Y después, de prisa:
—*Adiós, hijo.*
¿Lo sabía tía Germana? Le besó rápido, y a sabiendas no le miraba, contando y recontando los paquetes, y sólo cuando el tren se puso en movimiento vio —durante aquella fugaz escapada vio por primera y única vez— el verdadero rostro de tía Germana, un rostro lleno de piedad, ardiente y atormentado, unos ojos que querían dar todo, hacer lugar de todo, y supo que no seguía diciéndole: «¡Adiós! ¡Adiós!», para que él no le viera temblar los labios.
Fue fugacísimo, entre el humo y la carrera, y le entró pudor y congoja —*«se escapa, se escapa»*— pensando: «*Flavia*», por la ardiente piedad de aquellos ojos cansados, y al propio tiempo: «*¡Madre!*». *Cerró los suyos porque no pudo tolerar la imagen que acudía, que se superponía sobre tía Germana partiendo, sobre la inmensa, desolada ternura de aquellos ojos de mujer, unos ojos que daban todo o aceptaban todo, el desamor o...*
¡No! No era nada de eso. Inútil su congoja, aquella pena como un rayo que le escindiese, inútil su volverse, autómata, y tropezar con aquel barril, medio ciego para la realidad. Y de pronto aquel irrazonado y furioso golpe al barril, y el barril negro rodando y las voces:
—*¡Eh, oiga!*
—*¿Está loco? El barril...*
Un hombretón enorme vomitando injurias y mezclando a Dios en ellas. Contestó frío y sin miedo:
—*No haberlo dejado en el centro.*

—¿En qué centro? ¿Me va a decir el... señorito, dónde lo tenía que dejar?

Se acercaba gente, acudían mozos de estación.

—A un lado. El andén no es para los barriles.

Tan frío que hubiese podido quebrar aquella fuerza bruta con el hielo de sus manos.

—¿Por qué le arreó al barril?

Echó a andar como si aquello no le importase. (Tía Germana, tía Germana...) El hombre le tiró de la chaqueta.

—No me toque...

Y el coloso se dio cuenta de la enorme fuerza nerviosa de aquel joven tan intensamente pálido, con la mirada reconcentrada.

—Sin tocar...

—No se va a ir así, de rositas.

casi musitó para el público, deseando acabar.

—Allí lo tiene.

Señaló con desprecio donde estaba el barril, y le dejó discutiendo con los mozos y hablando a gritos para amedrentar a la gente:

—Estos señoritos de mierda...

Oyó los insultos claramente, cuando estaba lo suficientemente lejos, y un mozo le miró con guasa al ver que ni se volvía ni contestaba. Le resbalaba todo. Se detuvo un momento con calma, a intento, y encendió un pitillo.

Tía Germana no volvería nunca más. Debió de ser por eso su expresión y no por donde él lo tomara. (Algo le escocía al pensarlo, algo le decía insistente, bajo e insistente: «Sabes que no. Sabes que te miraba a ti desde ella. Sabes que a ella le importaba un bledo la enfermedad, la muerte; que iba estoica a morir como va un soldado a la trinchera».)

Aprovechó su estancia en Madrid para consultar sobre un

bulto que tenía en el pecho. «Nada. No es nada. Una pequeña intervención, un análisis...» Y también a ella la mancha se le derramó, también tuvo que correr el bisturí alocado detrás de la muerte que avanzaba, que se corría hacia la espalda, hacia un costado, hacia el brazo...

—¿Por qué te han dicho nada?

En la cama blanca, con el gráfico a sus pies. Aquel olor degradante desde los pasillos, aquellos familiares de enfermos, babeantes, humillados, sonriendo estúpidamente al médico, halagándole vergonzosamente con un soborno espiritual, grotesco y enternecedor. Pudo ver a Flavia con su marido, dentro del cuarto (no estaba sucia, ni manchada, ni diferente, como si el hombre no hubiese pasado por ella), y a Ignacia —entonces tenía un novio y la Hermana le aconsejó que usase el teléfono del pasillo—. También a Bernardo y a su mujer. Hubo algo en la mujer de Bernardo, tan grotescamente fea, que le despertó simpatía, y ella también le habló como si le conociese desde siempre, lo mismo que se reconocen los sujetos de una hermandad.

—Convendría avisar a nuestro padre, ¿te parece, Bernardo?

Y eludían nombrar la enfermedad, se entendían al referirse a ella como si todos usasen una clave convenida.

Flavia habló desde la centralilla, en una cabina acorchada, mientras Bernardo y él se paseaban de arriba abajo, fumando, y la veían hablar sin gestos, con la cabeza inmóvil, un perfil hacia el aparato, con los labios muy dulces, como si el gesto de sus labios pudiera transformar lo que decía. Moisés sentía la garganta seca y una ávida necesidad de chupar el cigarrillo. Adivinaba que Flavia estaba encarada con la verdad: ni el tiempo medido que corría, ni la distancia, le permitían evasivas o rodeos.

—Qué bien se oía —dijo cuando colgó el aparato, con pensativa mirada.

Y antes de que preguntaran:

—Vendrá en cuanto pueda. No puede moverse ahora.

Desviaba los ojos. Bernardo dijo:

—Muy bien;

pero Flavia no comunicó a tía Germana que le habían avisado.

Al atardecer llegaba Guzmán, justo un momento, mirando al reloj, haciendo señas a Flavia para marcharse.

—Esta noche me quedo yo.

—No hace falta, me quedo yo siempre —contestó Ignacia.

(¿Nunca Flavia? Le chocó con dolor. ¿Nunca Flavia? El hubiese jurado que sería Flavia quien la velase.

—¿Os llevamos?

les había preguntado Constanza cuando se levantaron para marchar. Y Flavia, de prisa, sin mirar al marido, queriendo evitar sin duda que contestase él:

—Vamos dando una vuelta. Preferimos andar...)

—Déjale quedarse, si quiere.

¿Comprendía que lo deseaba, que se sentía hijo, de pronto, cuando de tía Germana no quedaba más que la sonrisa humilde y el cuerpo vendado igual que una momia?

—¿Duermes?

preguntaba bajito. Y al no recibir contestación se levantaba de encima de la cama —se había tumbado vestido— y se inclinaba sobre ella. A la luz roja, baja, colocada en el entrepaño del cuarto, veía los ojos enormes que no parecían los de tía Germana: unos ojos fieros defendiéndose de algo, debatiéndose con algo.

—¿Qué quieres?

Como si no le oyera. Le secaba el sudor.

—¿Te duele algo? ¿Llamo a la Hermana, tía?

Se le clavaba la mano en su mano. Un soplo de voz
—aquello sólo que el dolor la dejaba libre—:

—Nada... Nada.

Y entre las pesadillas —despierto— de aquella noche
empezó a rondarle la idea: «Qué bueno ayudarla a no sufrir.
Acabar... Acabar... ¿No tenía remedio? Pues ayudarla...»
(Su mano de niño sobre unos labios amados, un regurgiteo
bajo su mano, el último aliento... Estupor. Mirarse la mano
como si contuviera otra vida... Volver. Retroceder.)

«Sufre como un animal. No parece una persona, es igno-
minioso.» Se levantó y bebió un vaso de agua del grifo del
lavabo. «¿Qué horrores voy pensando? ¿Es que estoy podri-
do?». Y en determinado momento vio los ojos de tía Germana
en él —cuando él se pasaba las manos por la frente para
arrancarse aquellas ideas, medio consciente, medio en sueño—
clavados en él, crispada, defendiéndose. Supo que sabía en
qué estaba pensando... Se tapó la cara. Estuvo con la cara
tapada hasta que sintió el roce del pobre cuerpo entre las sábanas volviéndose hacia el otro lado.

Una noche es enorme. Una noche puede ser tan larga
como una vida. Pasa la vida de prisa, dicen, y la noche es
larga. (Para él la vida era interminable.)

Fue Flavia la primera que acudió cuando aún no habían
bajado las enfermeras. Le trajeron la Comunión a la cama.
Él estuvo fumando en el pasillo mientras tanto. Tuvo miedo
a entrar y a encontrarse con Flavia de rodillas y a tía Germana cambiada, pero cuando por fin tiró la colilla —era un
cacharro bajo, redondo, una escupidera con serrín— y entró,
tía Germana parecía dormir y Flavia ordenaba algo en el
armario. Sonrió con naturalidad:

—¿No quieres irte a dormir?

y tía Germana no abría los ojos, con expresión distendida,

como si el enconado embate de la noche hubiese cedido ante algo, o algo pudiese más que el dolor. (Había visto salir al cura hacia otros cuartos, y se quedó mirándole, dando una chupada ácida al cigarrillo —qué bien y qué mal sabe el cigarrillo después de una noche en vela, con la lengua áspera— y la Hermana le miró, extrañada quizá porque no se inclinaba.

Vio abrir otra puerta y entrar al sacerdote con la Hermana —¿qué cara tendría la enferma o el enfermo? ¿Quién sería?— y salir de nuevo, y entrar y salir y perderse por el corredor adelante.)

Se sentía vacío, ni siquiera el cansancio.

VIII

El dulce le repugnó, lo dejó en el plato. Pasaban el tabaco y vio con alivio que Constanza encendía su cigarrillo. Todos fumaban menos Flavia y Bernardo. Inclinaban levemente la cabeza para encender los pitillos, y surgía la pequeña llama, y luego el humo leve, blanquecino, dulzón o fuerte.

Bernardo había dejado de fumar por consejo médico. Hipertensión. No era extraño. Llevaba siempre consigo un paquete de caramelos y se entretenía en chuparlos cuando el deseo de tabaco le asaltaba.

—No sé cómo puedes —decía Gabriel.

—Tiene una fuerza de voluntad... —comentaba Constanza, complacida.

Era cierto. Qué estúpido no comprenderlo antes. Toda la fuerza enorme de Bernardo era su voluntad. Decidió desde sus años jóvenes que se casaría con una mujer rica, decidió que sería poderoso, decidió más tarde zanjar otros apetitos...

Los dos solos, hundidos en los sofás de cuero, quizá porque a nadie más que a él se le podía pedir algo así. Era degradante y sin embargo lo agradeció como si le hubiese distinguido.

—*Escucha, tengo que pedirte un favor... Deja que te explique.*

No había andado con rodeos.

—Si no te importa... Tú estás soltero. *Además, dada mi posición, ¿comprendes?... El médico ya sabe que soy yo, naturalmente, es sólo para los laboratorios de análisis.*

¿A él qué le importaba? Dio su nombre para los laboratorios. (Una probeta, una sangre sucia, y su nombre: Moisés Estevez Iglesias. Blusones blancos, olor a formol...) Bernardo, con sus labios sensuales, con su gordura voluptuosa, solo, delante de su despacho, tomando una decisión, apretando más las manos cruzadas: No huir. No mentir. Dar la cara. Arriesgarse. Ya decían en negocios que tenía mucho pecho; lo tenía para la vida, para el amor, para todo. Debió de sentir el ansia del jugador que pone todo a una carta, que cree adivinar —porque el de enfrente es mal jugador— las del contrario, pero siempre cabe equivocarse...

Moisés pensó al oírle: «Quiere evitar que Constanza se entere», pero Bernardo dijo, como si le adivinara:

—Constanza lo sabe.

Y ante su gesto sorprendido:

—Se lo dije todo. Era lo mejor, ¿sabes? Es una mujer de una vez, Constanza. Te parece pueril, ¿verdad?, y negada en muchas cosas, sí, no protestes... Solemos equivocarnos con las mujeres. Fue un rato atroz. Me sentía un bruto y me daba pena por ella. Pero es mucha mujer aunque parezca tan chiquitina. Constanza es mucha mujer...

Decidido, fue a su casa.

—¿Qué te pasa? ¿Sucede algo?

Y un «sí», noble, levantando la cabeza. (Él mismo sintió que era un sí noble. La colocaba en aquel terreno de lealtad a conciencia.)

—No me excuso, ya ves. Son cosas que no debían llegarte, pero aunque me juegue la felicidad, tu cariño —que es lo único que me importa, no te creas, aunque te extrañe—, tengo la obligación de decírtelo, no puedo exponerte... Tampoco sabría irte, a ti, con engaños, sorteando la situación con ausencias, o con otra conducta. Porque yo podía engañarte, Constanza, no decirte nada, disimular, evitarlo durante algún tiempo. Podía hacerlo y no lo hago. Me parece indigno de ti.

Constanza le escuchaba con tal aire de estupor, al principio, que tuvo ganas de retrotraerse, de desmentir lo dicho, de recoger las palabras. «Tonta, era una prueba, era mentira, ¿cómo puedes creer...?»

¿En qué manos estaba el triunfo? Constanza no hablaba. (Así que la había engañado. Así que había salido por la puerta de su casa, sin vacilación, hacia otras mujeres. Así que había regresado besándola como de costumbre, como de costumbre aceptando la obligación de amarla, cuando ya...) Bernardo supo más tarde que era tan generosa que ni siquiera pensó: «Pagando con el dinero mío».

—Estoy asustado, francamente. Sé que en esto no puedo pedirte ayuda. Es un tratamiento de caballos.

Bajó la cabeza. Dijo aún:

—Yo nunca tuve el corazón muy fuerte.

(¿De dónde sacaba aquello?) Constanza le miró rápida; revivieron sus ojos como si respondiese a un lejano alalí. Y le ayudó.

—...No te lo imaginabas, ¿verdad? Nadie sabe lo que vale Constanza. Me alegro de contártelo, que sepas de verdad cómo es para que, ya que estás enterado de todo, le hagas justicia... Yo adiviné siempre que era así. ¿O qué creías?

Estaban en los sofás de cuero de su despacho, en el piso sexto del edificio, absolutamente solos —Bernardo había ordenado que no se les interrumpiese— y le contaba hasta los

7

*más pequeños detalles igual que cuando iba de joven al barrio
de la Herrería. Le había servido un coñac doble y él no bebía.
Fumaba (entonces fumaba).*

—Cuando pude volver a acercarme, ya ves lo que son las
cosas, fue como si empezáramos otra vez... Un renuevo de
luna.

Se rió.

—...Como una auténtica jovencita se negaba, temblaba.

Rió de nuevo, satisfecho.

—Tenía un pudor triste y vergonzoso...

*Percibió su desencanto, no porque no creyese en él, sino
porque no creía ya en sí misma. Cuando le dijo:*

—Te juro que nunca más...

Ella repuso con desaliento:

—No jures, hijo.

Y él aseguró firme, sin tocarla:

—Juro: ¡nunca más!

*Le ató más que cualquier vínculo carnal, la fiel resigna-
ción de su mujer, le conmovió hasta la médula aquella hu-
mildad que naciera de su humillación.*

—Ya comprendo que yo no... Deja, hombre.

—No digas tonterías, cállate.

*Se sintió miserable al sorprender la angustia de la mujer
por su pobre cuerpo informe.*

—¿Pero, no ves que te quiero?

Ahora había dejado de fumar y se había buscado el sucedáneo de los caramelos. «¿Y de lo otro?», se preguntó Moisés. Los negocios, el trabajo —un juego apasionante—, el
tiempo, hombre importante, devorándole la vida, sin dejarle
resquicios de calma: y la ternura, la compañía de Constanza.
(Quizá, a veces, se cruzara un cuerpo en su camino, como
quizá, a veces, fumaría un pitillo a escondidas.)

Pensó: «Con dinero se pueden poseer tantas cosas a un tiempo... Ha tenido riñones, Bernardo, para renunciar», conociéndole como le conocía. «No ha fallado su vida».

Y la mujer, cerrando los ojos y no preguntando qué se le daba como amor, o qué dejaba de conocer como amor, ya que lo pagaba... No exigiendo.

—*Me casaré cuando llegue mi hora.*

Bernardo tumbado en la hamaca, en el jardín de tía Germana, defendiéndose cínicamente de aquella chica que quería enredarle.

—*Lo que se hace se deshace. Lo que es conmigo que no cuente.*

Y su «hora» —estaba bien lejos de pensarlo en aquel momento— había sido Constanza, ya mayor cuando ellos eran niños. Constanza, a quien había conocido en Madrid cuando él tenía veintitrés años y ella once más, y ni se había fijado en ella, un poco abandonada en los grupos, o cortejada por orden de las familias que la veían a través de su inmensa fortuna.

—*Tan buena chica...*

Él se reía. ¿Una chica aquello?... Ella fue «chica» cuando ellos eran unos críos corriendo por el jardín de tía Germana.

Creía adivinarla, de muchacha, mirándose al espejo antes de salir de casa, riendo animada (había la solicitud de todos, el engaño familiar) y al regreso, deteniéndose sin amargura, secretamente fracasada. Y entonces se veía como era (lo habría sentido ya, antes, entre la gente) o pasaría de largo, metiéndose entre las sábanas y ocultando la cara sin gracia de juventud para llorar. Temería los bailes como un cilicio.

(—No seas rara.

—¡Qué guapa estás con ese traje!

—*Me dijeron que ibas divinamente vestida, llamaste la atención...*)

Ella procuraría recordar los bailes forzados con aquellos muchachos jóvenes que se sentían en ridículo, y ella intuía en vivo nervio que se sentían en ridículo.

—*¿Quieres que nos sentemos?*

No se podía decir: «¿Salimos a la terraza?», porque se acordaba de la indiferencia y del aburrimiento de sus parejas, deseosas de vivir la noche.

Tenía una configuración de enana, y, lo que es más triste, de enana gorda. Pero sus padres no querían enterarse, la aturdían o buscaban aturdirse, daban fiestas en casa, gastaban para atraer hacia ella gente. Y así Constanza tuvo amigas: no estorbaba, no destacaba, se le podía perdonar su fortuna de privilegiada porque era el único privilegio visible. Tenía capacidad de admiración hacia los demás, no le agriaba la felicidad de los otros, sólo la dejaba por momentos pensativa. Buscó la compañía de personas mayores, se halló a gusto, protegida, entre las amigas de su madre, lejos de los jóvenes, de la acerba comparación. Se ocupó de los asilos de niños; los niños la querían.

—*El día que te cases vas a ser una madraza.*

Ella contestaría:

—*Ay, sí, lo confieso,*

aunque le pareciera absurdo un hijo de ella y al propio tiempo absolutamente natural.

Insensiblemente fue apartándose de la sociedad y acogiéndose al grupo cerrado, como huye la barca del viento hacia la cala. Y entonces, cuando ya ni sabía si esperaba —a veces, sí, continuamente oía:

—*Cuando tú te cases...*

—*Estas joyas para ti, el día de mañana,*

como si se tratase de algo absolutamente determinado, cier-
to— (se negaba a pensar: «¿Cuándo va a ser el día de ma-
ñana ya?»), llegó Bernardo.

No había sido el único, naturalmente, pero su padre, sin
compasión, los desplazaba:

—*Habráse visto fresco... Llena de deudas la familia, se*
habrá creído que mi hija...

o:

—*Es un estúpido, un vago, que viene a que esta infeliz*
le pague los vicios.

Unas veces lo comentaba con la madre y ella lo oía, otras
lo gritaba en el comedor y a Constanza se le atragantaban
las lágrimas. No quería a ninguno, pero resultaba durísimo
que su padre admitiera como irrefutable que a ella no acu-
dían por ella misma, que lo gritase delante de los criados,
impasibles, en el fondo coincidiendo con él.

Bernardo había necesitado valor para afrontar la situación.
Moisés se acordaba de la tranquilidad —¿estaba tranquilo
por dentro o era su rostro impasible de jugador? —con que
cortó una conversación de hombres, en Vigo, en la que se
hablaba de Constanza. Y cómo dijo:

—Voy a casarme con ella.

Todos siguieron la broma creyendo que lo decía con guasa.
El gesto serio y resistente de Bernardo:

—*Me parece que no os dais cuenta: estoy hablando en*
serio.

Él no la conocía, pero a través de Agustín y de Ignacia,
de los comentarios de los demás, le fue fácil ir reconstruyendo
la verdad. No vio a Bernardo durante el noviazgo.

—*La pega son los años —decía Agustín,*
aunque Bernardo parecía mayor de lo que era por su corpu-
lencia y sus abultadas facciones. Ignacia dijo que Constanza

*parecía hasta guapa desde que estaba con Bernardo. (Él había
visto mujeres así, mujeres-satélites.) Y cuando la conoció en
el Sanatorio tuvo la sensación de reconocerla aunque nunca la
hubiera visto antes.*

—Lo que se hace se deshace.

Quizá Bernardo se acordaba, a veces, ahora que no tenía
hijos. ¿Qué había sido de aquella muchacha?

Constanza era una mujer que necesitaba hijos en torno,
y al enviudar Gabriel, inmediatamente, sofocada y nerviosa,
dispuso:

—Me llevo yo a la niña,

aunque la niña tenía catorce años.

Se halló ante una muchacha mesurada, independiente,
que no sabía vivir en familia, que la encontraba ridícula y le
daba rabia que la vieran con ella. No quiso reconocer su fra-
caso, siguió viviendo en su casa aquella extraña muchacha
que apenas la saludaba, esquinada, hosca... Una muchacha que en verano marchaba en viajes culturales al extranjero,
en tercera, con otras amigas, y que a la vuelta no le contaba
nada. Le daba dinero y lo gastaba inútilmente, de una manera
fantástica, pero si le advertía algo, con delicadeza, contestaba
rápida:

—Guárdate tu dinero, no lo necesito.

Y era verdad. Una muchacha capaz de dormir o de comer
en un banco público...

No les acompañó, más bien les disgregó. Y Bernardo la
respetaba. Eso sí le asombró a Constanza: Bernardo respetaba a Felisa, que se presentaba tarde a comer o no se presentaba, que les besaba distraídamente y se sentaba a la mesa,
y parecía enormemente aburrida si ella pretendía contar qué
había hecho o las menudas incidencias de sociedad. Que volvía sus ojos claros y desvaídos —los ojos de la abuela in-

glesa— hacia Bernardo, súbitamente atenta si él tocaba temas de política o de negocios. Y Bernardo, que antes no discutía en casa, hablaba con Felisa de sus cosas, y Felisa le contestaba tajante (hablaba como a trozos):

—Sois idiotas. Estáis atrasados. ¿Qué culpa tenemos nosotros?... Nos lo habéis dado hecho.

Y uno y otro se acaloraban, y la muchacha parecía severa y hermosa, entonces.

Agustín se lo había contado a Moisés: Constanza se escandalizaba. Desahogaba después con Flavia, o con Ignacia.

(¿Cómo Gabriel, tan metódico, tan ordenancista, la dejó una libertad así?)

—...*No respeta ni a su padre. Habla de él con un desprecio enorme. A la única persona que estima algo es a Bernardo, pero fíjate... Dice unas cosas impropias de su edad, son cosas que no debía ni tratar, no sé cómo Bernardo le da beligerancia. A ratos no sé si es blasfemia o qué, lo que dice...*

—*¿Qué dice?* —*había preguntado Flavia.*

—*«¿Qué culpa tenemos nosotros?», esto es casi un estribillo en ella. «Se nos pide lo imposible... Despreciamos los manejos políticos, nos asquea vuestra moral, y eso que llamáis paz, y hasta vuestras maneras religiosas... Hablemos un poco de religión: estáis exprimiendo a Dios como a un limón.* —*Las fórmulas son necesarias. No se puede vivir sin fórmulas* —*le argüía Bernardo*—. *Ya lo comprenderás cuando tengas más años.»*

¿Por qué admitía el diálogo, no la mandaba callar de una vez?

—*Porque hay que oírles* —*dijo Flavia.*

—*¿Tú también?... «¿Construir, edificar, en una palabra, cooperar? No... Cada individuo es en tanto que vive. Sólo cada uno puede salvarse.»*

(*Moisés pensó, al repetírsele aquellas palabras, en su propia adolescencia. Lo inaudito era que fuese hija de Gabriel.*)

—¿Sabes lo que dijo el otro día? «Si la Iglesia vive en verdad de la palabra de Dios, debería rechazar este exceso de fórmulas, es como una careta o un disfraz encubriendo una política de poder temporal.»

Bernardo sostenía que era inteligente y desgraciada.

—No me gusta que te hable con tanto cinismo, con tan poco respeto.

—Quizá nos lo merezcamos.

—¿Qué dices?... Además no es inteligente, la suspenden.

Bernardo se había reído.

—...Y hay más: me he enterado de que muchas asignaturas ni las ha preparado ni se presenta.

—Le falta interés.

—¿A su edad? —(ya no se acordaba de sí misma)—. A su edad, una chica...

—Escucha, Constanza, no creéis problemas. Si quieres se la devolvemos a su padre.

—No he dicho eso. ¿Cómo dices eso?

Porque lo asombroso era que, cuando no la tenía delante, Felisa le despertaba una punzante ternura.

—...En el fondo es una buena chica, ¿sabes? Las de ahora son así...

disculpaba, después, con Flavia y con Ignacia. Ignacia protestaba:

—Una estúpida... No tiene consideración a nadie, casi diría que no le importa nadie; no la disculpes, Constanza.

Y Flavia:

—Siempre pensé que era una buena chica. Mándala por aquí.

Constanza parecía buscar con sus ojos sin belleza un mu-

*chacho continuador de su fortuna. Mimaba exageradamente
a los hijos de Flavia, tan pequeños aún, queriendo adivinar
sus inclinaciones. (Había aquellos dos varoncitos turbulentos
y luego el sordomudo.)*

*—...Pero a Guzmán —le contaba Agustín— le revienta
Constanza. Es una forma de envidia, figúrate. No quiere
verla en su casa, y si la encuentra allí le suelta algo desagra-
dable. Y la pobre Constanza se levanta precipitada para marcharse en cuanto le siente venir. Ha obligado a los niños a
que le devuelvan los regalos.*

(Los niños de Flavia quizá se negaran a salir con ella cuando fuesen mayores.)

Ahora paladeaba despacio el helado de piña y no supo
por qué Moisés pensó en una niña —anciana.

*—Cuando llego a casa me está esperando Constanza con
todas las luces encendidas.*

*Se lo había dicho riendo, Bernardo, en su despacho. Era
muy tarde, eran casi las once y estaban solos. Había despedido a la secretaria, el sereno rondaba dentro del edificio
—mudo, como una gran máquina cubierta con fundas.*

*(Bernardo tenía miedo a la oscuridad. Sufría pesadillas,
gritaba durante el sueño. Agustín se quejaba a tía Germana
de que con Bernardo no se podía dormir porque dejaba la
luz del techo encendida, justo encima de las cabezas. Tía
Germana quiso quitarle esa costumbre.)*

Miedo a la oscuridad, miedo a la soledad... Pensó en
aquel hombre templado, aquel hombre de acero como las
puertas de su ascensor o de su caja, regresando en la noche,
agotado, enfilando el coche silencioso la calle residencial, poco
iluminada, decidiendo —Bernardo hizo siempre compartimien-
tos estancos—: «Bueno, ya no se piensa en esto hasta mañana», encontrándose la casa como una enorme lámpara en-

cendida, rutilante, sin sombras, sin secreto, con la impersonal alegría de la luz. Y a Constanza... (Quizá por eso se recargaba de joyas, quizá por eso se vestía con colores estrepitosos, y se negaba lo negro, lo decrépito.)

¿Seguiría durmiendo Bernardo con la luz encendida? «Qué temor a tu última oscuridad, hombre.»

IX

Á CIDO el sabor de la fruta, el jugo de la fruta. Le raspaba. Constanza levantó los ojos tímidamente hacia él —estaba a su derecha: habían tenido buen cuidado en su corrección de reservarle el lugar del extraño—y después una mirada circular a todos. Se levantó. Gabriel se apresuró a retirarle la silla. Todos se alzaron dirigiéndose hacia la puerta. Gabriel dijo, bajo y severo:

—Levántate,

mientras él pasaba la lengua espesa —con el calor sentía la lengua enorme— por los labios, como si no hubiese acabado aún con la sed. (¿Por qué hacía aquello? Era incoercible, pero Gabriel pensaría: «Está bebido». Era un gesto de borracho. «No estoy bebido.» Quiso cerrar la boca y sintió que, independiente de él, aquella lengua —la sentía enorme y ávida— se paseaba por los labios.)

Se apoyó en la mesa para levantarse. Alguien retiraba su silla. «No me habéis esperado... Gabriel es un idiota. Encuentra mal todo lo que yo hago. No ha tenido nunca chispa propia. El Reglamento...» Le pareció que la puerta de comunicación con la sala estaba más lejos ahora. Allí estaban sentados. (Mordió la esquina del puro y la escupió al suelo. Cayó sobre la alfombra.) Y él los miraba y se sentía desgarrado por dentro. No le miraban y le estaban mirando, no se volvían hacia él y estaban tensos...

Ignacia se inclinaba sobre las tacillas y las copas. «Demasiado ceñida.» De pronto estuvo a su lado y le temblaba una sonrisa —artificio— ofreciéndole café.

—No quiero café —dijo.

—Coge, es tu taza.

Nadie lo tomaba todavía —creían que no se daba cuenta— e Ignacia insistía para meterle la taza en la mano.

—Toma.

Caminó, con la taza en la mano —al ponerse de pie y andar, sensación de irrealidad o de fugacidad de lo estático—, hasta el círculo donde se apiñaban. Constanza miraba la alfombra, Flavia ansiosamente a las manos de él. Gabriel dijo:

—Toma el café, Moisés. Basta de niñerías...

en el momento en que posaba la taza.

«Basta de niñerías. Basta de niñerías... Eso digo yo: ¡basta! ¿Para qué me habéis traído, entonces?»

Bernardo le acercó una copa de coñac, una copa redonda, con un vientre tibio. Sonreía. Le preguntó, con entera naturalidad —era un hombre, Bernardo—:

—¿Tú no te sientas?

Y se encontró al borde del diván, con la copa en la mano. «No bebo más.»

—No bebo más.

Y la tomó de un trago, sin darse cuenta.

«Basta de niñerías... Basta.» ¿Sabía Gabriel lo que estaba diciendo? «Si me lo arrancaseis... Extraerlo fuera, ¡basta! Lo estoy diciendo desde entonces...» El zapato de Gabriel tan cerca. ¿Qué pasaba con aquel zapato? Se lo estaba metiendo por las narices. Retrocedió y procuró enfocarlo, volviendo a acercar la cabeza.

Gabriel había cruzado las piernas largas, era su costumbre, y aquel pie a caballo se movía, nervioso, con su zapato

enorme. «Eso no es correcto», tuvo ganas de decir, y se rió.
El pie, en el Reglamento...

También él se recostó en el diván y miró a Gabriel:
tirado a línea, un hombre tirado a línea. No podía uno imaginarse a aquel hombre en la mar... *Vigo. Las Cíes. La mar
desde La Guía.* Le apretó una congoja enorme. La mar desde
La Guía... «No la veré más, la mar de Vigo.» *Moviente,
alta, y Gabriel allí, en una borda acerada. ¿Veía la mar?
¿Veía las islas y los faros?... Gabriel miraría las manchas
sobre el pañol de popa.*

—*Eh, marinero, ¿quién ha escupido aquí?*

*Acercaría los ojos a los dorados, les echaría aliento: todo
en orden, todo recogido. Aquello era mar para Gabriel.*

«Hubiese querido ser marino, ya ves. Marino de la mar.
Lo hubiese sido...» Desvió el pensamiento que corría hacia
él: «Si viviese mi madre lo hubiera sido».

Gabriel contó un día con condescendencia, a los pequeños,
que en un viaje del buque-escuela le habían castigado en la
cofa. Miró a aquel hombre largo y corpulento, aunque delgado, con su pelo canoso y la cara redonda, las gafas con
montura al aire, y quiso imaginárselo en el alto palo, batido
por un viento hermoso —*viento que alzaba las faldas de
Flavia cuando subía al árbol*— secándose con la lengua las
salpicaduras del agua salada sobre los labios. «Imposible, a
aquella altura...» ¿En qué pensaría Gabriel, entonces?

—*Me tuvieron tres horas.*

«Te las pido... Tres horas subido, escalado sobre el palo
mesana, más alto que nadie sobre la mar, tres horas absoluta, puramente solo, buscando al viento en su altitud...
Dijo que era de noche: quizá no fueran las aguas fosfores-
centes, como entonces, una bóveda de plata, un cielo invertido bajo uno... *La embarcación surcando aquella bóveda,*

hendiendo un banco de sardinas. Más veloz el motor que el pez —la proa sobre el agua levantada, casco al aire, y al final hundida, perdida, desmelenada entre la espuma—, las sardinas, como haces de plata— rayos cortos y vivos, y fragantes—, saltando a derecha e izquierda, velocísimas. (El corazón era como un pez también, rápido, y vivo, y velocísimo. Y frío como la plata de las escamas, bajo la noche oscura de agosto, sin estrellas.)

No se podía pensar en la mar de Vigo. Ondas húmedas subían hasta los ojos, anegaban. «Tres horas sobre la mar, en Rande, o en la bahía —había un tesoro, oro en la mar. Era fabuloso navegar sobre la mar de Rande—, o abierto, hacia las islas Cíes, compartiendo la altiva soledad de las gaviotas o del alcotán... Horas tres encima, sobre el agua, encharcada de sol o batiéndose, enlunada o bruñida.»

Miró asombrado en torno, tan viva la memoria, que dilataba las narices sin querer y entreabría los labios, y era extraña la quietud del suelo; le ahogó lo cerrado de la atmósfera. Dijo, vagamente, entre dientes, señalando hacia la puerta-ventana:

—Voy a la terraza.

(pero lo que realmente se oyó fue:

—Voy a la mar.)

Pudo alcanzar, mientras salía, a la voz de Gabriel:

—No hay quien le aguante. El respeto...

Y Constanza:

—No le vaya a ocurrir algo.

Ignacia se alzó de hombros, mientras Bernardo contestaba:

—Dejadle en paz. Está acostumbrado a beber, no le pasa nada.

Y Flavia movía y removía la cucharilla diminuta en la taza, sin alzar la cabeza.

—Tú también estás bebiendo mucho, Agustín.

—No seas estúpido —atajó Gabriel—. ¿No te sirve el ejemplo?

Agustín respondía, blandamente:

—¿Qué os creéis, que no puedo beber?

Y se levantó y salió detrás de Moisés.

—No te pido que me defiendas —decía Moisés mirando por encima de la barandilla.

La mar de Vigo. Las estrellas altas bailando sobre la mar, el olor de la mar unido a la palmera, a las hortensias, al banco verde, a tía Germana; el olor ingente —bugamvillas moradas desbordando los muros— hasta dentro de los cuartos cerrados en las casas ciegas, trepando hasta la calle de la Cruz Verde, adheridos a pieles de mujer que, en su memoria, la mar purificaba.

¡Qué angustia, la lejanía! Tan lejos... «Adiós, Vigo.» No volvería nunca. (No volvería porque Agustín estaba aquí.)

—¿No me puedes dejar solo? —exasperado.

Agustín se le revolvió:

—Me da la gana. Es la casa de mi hermano y estoy donde me da la gana. ¿O te crees que me gustas?

Moisés se puso a reír, se puso a reír apoyándose contra la pared, y a veces le venía un sabor espeso y ácido a la boca. Se partía de risa. Sujetaba la cintura con la mano porque se iba a partir, y Agustín se contenía, acodándose contra la barandilla. Echó la cabeza fuera y luego volvió a él la cara lívida, verdosa, secándose los labios sucios con el revés de la mano. Apoyó la cabeza, que debía de pesarle, contra la barandilla de cemento. Moisés sabía lo mal que se pasaba. Él ya no llegaba a aquello. (En realidad no había necesitado aprendizaje para beber: como si una mano seca y fibrosa le chupase todo el sobrante del vino.) Pero aunque tardó en recoger el sentido de las últimas palabras, se las repitió a sí mismo, y aquel «es la casa de mi hermano» lo sintió como si le expulsaran, y dijo a conciencia, mirándole desesperado:

—Me basta con gustarle a Choni...

Y Choni le importaba un bledo, pero era de Agustín y había que herirle.

—Dice que contigo nunca...

Agustín se incorporó pesadamente —debía de creer que reaccionaba rápido— y alzó la mano para pegarle. Moisés no se movió una pulgada, pero Agustín no midió bien la distancia y dio con el puño cerrado en el vacío.

—¿Venís? —preguntaba Ignacia, desde la puerta de la terraza.

Moisés la miró, plateada bajo la noche. «Se podía intentar algo» porque el insulto le bullía en la sangre. Sintió un deseo vehementísimo de ella. Pensó, sorprendido: «¿De Ignacia?», y ella retrocedió un poco bajo aquella mirada y se estremeció como si algo la tocase.

—¿No venís? —volvió a preguntar, alterada, retirándose.

Moisés la miraba moviéndose de espaldas —*rodando con ella sobre las losas de la glorieta* (¿de la terraza?), *un cuerpo rotundo bajo sus manos.* «Entonces tenía quince años.» Sacudió la cabeza. Ahora no punzaría el cuerpo. Ahora se defendería. Ya no tenía aquel ansia mugiente, aquella mugiente burla en los ojos: «Atrévete. ¡Atrévete!» Ahora que parecía sabia y deseable bajo su propia luna había aprendido a contenerse o no sentía ya los ladridos de la carne. «Pena que entonces...», y no se refería a los quince sino a los treinta años. *Alrededor de los treinta años, nerviosa, desasosegada, porque el tiempo pasaba, y los novios pasaban, y sólo su plenitud era un alarido. Moisés tuvo entonces conciencia —una*

conciencia de piel— de que ella furtivamente, vergonzosamente, se entregaba a alguien. Tenía reuniones con amigas,
de su misma edad y mayores.

—No os preocupéis por mí, ya me traerán a la vuelta.

Y Gabriel hacía que la creía, no era posible que se enga-
ñase. O quizá sí. Quizá fuera Gabriel un hombre fácil para
el engaño.

Supo —ella misma lo contaba, excitada, ella misma se
traicionaba para un ojo experto— que acudían hombres a
aquellas reuniones de amigas: hombres mayores que habían
permanecido solteros y tenían cierta respetabilidad, que eran
metódicos, roñosos; hombres jóvenes, casi muchachos, con
aire equívoco de artistas, o recién llegados de provincias, que
no sabían beber ni presentarse. «Y a Gabriel le parecía perfectamente respetable todo.»

Ignacia vivía con Gabriel desde que él enviudó. No le
preguntó si le convenía: se instaló. «Debió de fastidiarle.»
O a lo mejor, no. A lo mejor le resultaba cómodo que ella
se ocupara de la casa, encontrarse las cosas dispuestas a su
regreso... ¿Había llorado Gabriel a su mujer? No estaba seguro. Fue una enfermedad rápida, y dijeron que Gabriel
había permanecido junto a ella día y noche. De pie, junto
a la caja, con los ojos secos: Obligó a que vieran a su madre
muerta, Felisa y el chico. Le sacó de los jesuitas sólo para
que viera a la madre muerta. (No tuvo pena por el chico
porque lloraba y no le importaba que le vieran llorando.)
Ignacia se había quedado ya durante la enfermedad, y se instaló definitivamente aunque nada se hablara.

Cuando Constanza dijo nerviosa, ansiosa:

—Me llevo a la chica,

Ignacia protestó:

—Me ocuparé yo de ella.

Pero Gabriel la dejó marchar. Desde la tarde misma en que se llevaron a la muerta, la casa volvió a ser la de antes: el chico regresó al internado, Gabriel recibió a la familia y amigos cruzando sus largas piernas, ocupando el sofá de siempre. Ignacia se sentó frente a él. Moisés estuvo por decir: «Ignacia, qué falta de tacto», pero Gabriel ni se volvió, como si fuese natural. Todos decían que había sido un marido perfecto. (Habría cumplido palabra a palabra la epístola de San Pablo.) ¿Fue feliz su mujer? Tan borrosa... Era dominante, decía Agustín, no le gustaba la familia del marido en casa. Si hubiese visto a Ignacia arrellanarse en el sillón aquel...

—*Qué suerte con tu hermana...*

—*Así se ocupa de la casa y del chico mientras estás embarcado.*

Gabriel no decía sí ni no, pero solicitó embarcarse: dejó al hijo en los jesuitas, a la chica con Constanza, a su hermana en la casa, y se embarcó.

Salía de cenar con él y tropezó con Ignacia en la escalera. (No sabía por qué cortaban de noche el ascensor en casa de Gabriel.) Dudó: «¿Es Ignacia?»... Subía despacio, como si le costase subir.

—*Adiós, Ignacia.*

Se asustó, apurada, y empezó a explicar de prisa, sin mirarle:

—*Estuve cenando en casa de una amiga; había mucha gente; me han traído hasta aquí...*

La vio la boca ajada y un gesto de abatimiento, y la mirada rendida.

—*No me mires. No me mires —parecía rogar.*

«Va buena.»

A él no le importaba nada, no era asunto suyo. Tuvo ganas de darle ánimos o de decir: «No seas idiota, no hagas historias. *¿A mí qué me importa? Allá cada cual con sus problemas, resuélvelos como quieras.»*

Nunca dejó traslucir nada.

—La pobre Ignacia no ha tenido suerte —comentaba Agustín—. *Menos mal que ahora, como Gabriel la necesita...*

Bernardo, más positivo, le dijo aquella noche en que hablaron (y él le vio la intención —¿habría adivinado Bernardo algo?—):

—Ahí tienes a mi hermana. Es una cuestión de suerte... *Más guapa que Flavia, con una figura estupenda, con mundo, una posición sólida... Yo la administro, ya lo sabes, y es una mujer ordenada, que sabe tener cuenta de sus cosas. Como vive con Gabriel apenas gasta de lo suyo, puede decirse que lo ha doblado... Una mujer así, para un hombre un poco baqueteado, ya ves, sería un hallazgo... Desengáñate: llega una edad en que se echa de menos una compañera segura.*

Prendía el cigarro mientras hablaba. Moisés no pudo contestar: «Mira, la última del mundo, Ignacia...», porque le dio fastidio por Bernardo.

(—Un hijo con dos cabezas.)

Dejó hablar al otro tranquilamente, pensando: «Ésta es una conversación repugnante».

Ella no le hubiera aceptado, estaba seguro. Por el motivo que fuera existía una secreta repugnancia de Ignacia hacia él, o una enorme frustración de su edad temprana, que nunca perdonó. E Ignacia, esta noche, había adivinado sus ojos como ventosas sobre su carne, y tuvo miedo, aunque anduviese de espaldas un poco estremecida.

Se volvió rápida, dispuesta a gritar, cuando vio que la seguía.

—¿Qué vas a hacer?

Moisés rió entre dientes.

—Otro trago. Tengo más sed...

Ignacia no dijo en alta voz: «¡Así reventaras!», pero él lo supo.

Vio los labios del hombre gruesos, húmedos, como con gotas de sangre, y la mano que no acertaba o divagaba al acercar el vaso. Tuvo un largo estremecimiento y le pareció también la sala de al lado lejana, y lejano el círculo de hermanos bajo la lámpara, y fue hacia la ventana, descorrió el visillo y se volvió diciendo con rabia:

—Agustín está llorando.

Y Moisés oyó dentro de sí: «Agustín-está-llorando», y olvidó a la mujer, saliendo a la terraza con la copa llena. «No hay que llorar.»

Agustín estaba blando como un guiñapo, recostado en el sofá de lona, llorando sin recato. Se acercó diciendo con vaivén:

—No hay que llorar... No hay que llorar.

Y le echó el vino a la cara para limpiarle el llanto.

X

O ÍA las voces de los demás, hablando en la sala. (El vino
se escurría de Agustín, goteaba, iba haciendo un char-
quito sobre el mosaico rojo de la terraza.) Oía las voces mientras miraba el charco. Le empujó con el pie. *Cuidado, no
piséis.* Se estaba bien allí, oyendo aquellas voces conocidas
acercándose y alejándose, y eran las voces de los suyos.

—No había por qué traerle...

¿Se referían a él o a Agustín? Era Agustín quien daba
el espectáculo.

GABRIEL. — Se le paga el pasaje, y largo.

IGNACIA. — Ha pervertido a Agustín. Agustín no era así
de pequeño.

(Agustín, de pequeño, era tímido y sensible como una
niña. Había visto la aureola en torno a él.

—*Se arrojó sobre su madre...*

Agustín, el asustadizo, vio los pies dorados de Moisés:
tenía sus años y era valiente, tenía sus años y había presen-
ciado lo increíble, asomados sus ojos a la muerte. Moisés era
duro y callado. No le vio llorar jamás, ni quejarse. Agustín
apretaría los párpados procurando imaginarse a sí mismo en
un trance igual. Le seguía, deslumbrado.)

BERNARDO. — No vengas con bobadas. Agustín fue siempre como es.

IGNACIA. — Tú no te acuerdas.

Discutiendo:

—Me acuerdo. Pasábamos en Vigo solamente dos meses...

Lo oía todo con lucidez, parecía que estuviesen hablando dentro de él mismo. (Podría caminar con una vela en la mano, sin apagarla y sin torcerse.) Podría incluso, si tuviera ganas, hablar... Él, que se sentía hosco y desgalichado cuando no bebía, debía al vino aquella visión diáfana, aquella súbita facilidad para expresarse, como si el vino desatase un nudo que le agarrotaba el cerebro, o le aceitase, le lubrificase. O alzando el vaso lleno le dijeran:

—Mira al través

y al través se veía todo rojo, morado, o amarillo, o color marrón. Rojo y marrón... «*No pises*». Sintió una náusea. Instintivamente restregó sus manos contra la americana. «En cambio, Agustín está borracho». No era lo mismo «estar borracho» y «haber bebido». Oficialmente borracho, arrugado, enfermo, machacón, arrastrando siempre las mismas palabras:

—Tú, que eres el único que me entiendes, que eres como un hermano...

Le sobaba la manga. Después se erguía y levantaba un dedo para decir, con seriedad titubeante:

—Dime la verdad, ¿eh?, toda la verdad: tú y Choni...

Ni le atendía ni le contestaba.

—...De ti no me importa. Tú es como si fuera yo, yo es como si fuera tú...

Habría otra fase: lloraría sobre sí mismo, sobre Moisés y sobre Choni. Cualquier cosa le agriaba, en un momento así...

Sabía de memoria lo que Agustín diría y en cambio le interesaban —oh, miserablemente— las voces frías, incisivas, que llegaban hasta la terraza:

—...degenerado.

FLAVIA. — ¿Cómo podía ser? Un niño con la infancia deshecha...

IGNACIA. — Tenía ya doce años.

FLAVIA. — ¿Cuándo acaba la infancia, entonces? Es muy fácil para nosotros... Yo he pensado siempre con horror cómo debió de ser aquel momento. Basta para deshacer una vida. ¿Cómo serían mis hijos si vieran que a mí...?

«¡Cállate! No soy Manuel, no me defiendas... Si tu hijo lo viera no sabría mentir, no puede... ¿Quién te pide que me defiendas?»

BERNARDO. — Era un chico igual que todos. Las mujeres exageráis. Yo me acuerdo perfectamente... Cada uno es responsable de sí mismo.

FLAVIA. — No cuando estás inhibido, un suceso externo...

GABRIEL, al mismo tiempo:

—No estoy de acuerdo. Hay mando de hombres. Respondes también por los demás.

BERNARDO. — No estoy hablando de la Armada.

—Ni yo tampoco. Hay personas que dañan a otras, que tienen influencia.

Ignacia terció:

—Corrosivas.

—...¿Crees que no responden?

Moisés estuvo a punto de asomarse y preguntar: «¿A quién?»

¿A quién daría él cuentas de Agustín, que se había empeñado en seguirle, en copiar sus gustos y costumbres? Le había rechazado, le había despreciado, humillándole, y Agustín le seguía, de lejos o de cerca.

Cuando vino a vivir a Madrid —le pareció que en Madrid se sentiría más independiente, menos en guardia, más perdido entre los demás— deseó rehuir el trato con sus primos. (No miró hacia la ría, por las ventanillas, no miró a las calles ni a las casas, pero ahora, extrañamente, le volvía todo el camino hasta la estación, como si en realidad hubiese estado bebiéndoselo con los ojos.)

NIEVES. — ...Yo le tenía miedo.

¡Mentira!... Sintió que el cuello le apretaba. Aflojó la corbata. La sangre se le agolpó. «¿Miedo tú, que parecías esperarme siempre?»...

¿Para qué había venido? Sintió que se le pudrían dentro los gestos indecisos de Nieves, la pequeña, la memoria de su boca suave y tibia, de su mano apoyada sobre el tronco de la palmera. «Perder esto también.» Se alzó de hombros.

Dos o tres veces seguidas se alzó de hombros, apretando los puños.

FLAVIA. — ...a mi pequeño Manuel le faltara yo.

De pie, para recibirlo. En pie, para sentir el lancetazo doloroso y dulcísimo. «Eso, el pequeño Manuel... Yo lo sabía».

Bajó la cabeza para recibir la gracia. «Yo lo sabía». El niño que no tenía el don de hablar, ni el de escuchar, con sus vivos y expresivos ojos —creía conocerle, le veía como a sí mismo— parangonado con él. «¿Me adivinó?» Moisés había sido un niño duro, fuerte, seguro. O lo parecía. O había intentado parecerlo. (Pero Flavia resultaba ahora que le había visto siempre en su íntima y última realidad.)

«Más daño tú que ninguna...» Levantó la cabeza. Miró hacia la noche, hacia abajo, a la calle, sin darse cuenta de que miraba. «Me río yo de Manuel». Se reía, temblándole los labios. «Yo me río». Y le apretaba tanto el corazón... «Estoy bebido. He bebido». Pero el vino no tenía parte de culpa en aquella mano fina de mujer estrujándole el fondo.

«Iros. Dejadme en paz».

Como si hubiesen oído su deseo, llegó la voz de César:

—Anda, anda, que se hace tarde. Sabes que mañana...

El rumor de las butacas apartándose, de personas poniéndose en pie.

Miró por la ventana. Miró despacio a Nieves, y no era Nieves ya: la había perdido. Sonreía a los demás. «Estúpida», y deseó enfrentarse con César. «Vas bueno, lo que es con ésa... Vas bueno con ésa», pero no le despreciaba por más que lo creyese, sino un sordo coraje —en las manos le ardía el deseo de pegarle, gallo contra gallo—, y sí la despreciaba a ella, totalmente. A ella la vencería, la ofendería, gritándole insultos contra la piel. Sintió en la boca el sabor de su piel. Dijo a media voz: «Adiós, Vigo», sin saber por qué.

(Quizá pudo decir: «Adiós, niño», a sí mismo.)

Y Nieves se estaba colocando con indolencia lenta una piel rubia sobre los hombros, hacia atrás, dejando la garganta al aire. *Nieves se tambaleaba sobre zapatos de alto tacón, una piel medio apolillada, y unos labios pintados que hacían reír a fuerza de infantiles.*

Ignacia también se iba a marchar. Lejana y plateada como lejanas noches. *Un traje escurrido hasta los tobillos, que le hacía parecer más alta, diferente.*

«Me vine de Vigo buscando con quién estar, y el único que podía acompañarme era Agustín».

Le pesó la soledad, le pesó la indiferencia, el no conocimiento. *La ciudad en cuestas, las caras —crecieron con él, no se daba cuenta de su transformación—, comercios, casas, faroles negros silenciosos en las calles viejas. (Olía a mar.) Faroles blancos, opalinos, en las calles de tráfico. (Todo: casas y calles, olía a mar.) Todo, casas y calles y mar —aire y mar, palabras y mar, letreros y mar, edificaciones y mar,*

*tinglados y mar, mar y rampas—, todo como enormes caras
conocidas que sabían de él, circundándole, incidiéndole.*

*Se le antojaba hosco el conocimiento, hastiado de no vol-
ver la vista a nada que no significase: «He ahí a Moisés».*

*Pero cuando se halló en Madrid, y la calle era plana, y la
taberna no le conocía, y el vino no cabriteaba —espuma de
mar en el fondo del Rosal— y no era salobre el tinto, dorada
la uva con la brisa atlántica, y la gente olía a seco, a tierra
enjuta, y las casas eran cerradas, impasibles sus grandes caras,
sintió hostil la indiferencia como no el conocimiento.*

*Fue a Agustín como quien busca carne para clavar su
angustia, contra quien volverse y gritar a injusticia o a asco,
acorralado, porque una vez lejos, sueltas las amarras, supo
que todo sucedía dentro, no fuera de sí mismo, y que era
inútil emigrar.*

*Agustín comenzó a salir con él por las noches; iban jun-
tos, recorriendo las tascas, silencioso y agriado Moisés, exul-
tante Agustín. Pusieron estaciones a la noche, y entonces supo
que cuando bebía discurría con tal lucidez —volvía la memoria, acuciante, dolorosa y gozosísima— que lo buscaba
para salir de nuevo de sí mismo, y entrar, y volver a salir.*

Si tropezaba con Bernardo o con Gabriel:

(—Saben que estás aquí y quieren verte.

Él decía:

—No,

*aunque supo que iría), le subía una amargura sorda, antigua.
«Valían menos que yo, y aquí los tienes».*

*Sin vanidad, porque era cierto. Y se iba tras de Agustín
para insultarle, no con palabras duras —Agustín se hubiese
defendido de lo directo— sino artera, fríamente, como le des-
poseyó de su fe.*

(En el piso de Chamartín estaba Choni:

—*Te he hablado tanto de él... Aquí le tienes. Más que un hermano...*

Y él la miraba altivamente y supo que serían cómplices contra Agustín.

En el fondo, a Agustín le alegraba aquel desdeñoso distanciamiento de Moisés.

—*Tienes un prejuicio contra ella, me quiere, te aseguro.*

Porfiaba, sin desear decirlo, sin darse cuenta, arrastrado por algo turbio desde dentro.

Cuando Choni se sobresaltaba:

—*Viene Agustín, escucha...*

tendida hacia la puerta, Moisés displicente contestaba:

—*Déjale que venga.*

La mujer se escudaba tras él, agazapándose. Y él iba al encuentro de su primo arreglándose ostensiblemente la ropa.

—*¿Qué haces aquí? ¿Qué hacíais? ¡Moisés!*

«*¿No crees en Dios? ¿De verdad, tú no crees en Dios?*»

Agustín agarrado a la puerta como si hubiese visto la mano de Moisés alzada para descargarle un golpe sobre el cráneo. Iba contra él, con los dientes crujiendo:

—*Te parto el alma... ¡Ahora mismo!*

—*Venga...*

Era su calma la que le deshacía, le derrotaba. Algo fallaba en él porque volvía después patético, reblandecido.

—*Te perdono. Me hagas lo que me hagas...*

como vuelve el borracho al vaso, como vuelve el pecador a su vergüenza.)

¿Por qué sentía hoy tanta pena por Agustín, tanto deseo de cuidarle, de advertirle: «Ve con cuidado. Por favor, con cuidado»?

Volvió los ojos a la noche clara y pensó: «¿Cuentas a quién?»

Se había confesado, de niño, después de aquello.

*El jardín de los jesuitas. El geométrico macizo de césped
con cannas rojas. El banco contra el muro. Y sobre el muro,
mar. Esperando para confesarse, con los brazos cruzados y su-
dores de agónico. Decidido. Volverse atrás... Decidido. «Este
padres es de paso, no sabe quién soy. Se va a las Misiones.
Este...» Volverse atrás. Se iba acercando. Llegó su turno y
casi se encontró, sin saber si alguien le empujaba o era él
mismo, en los brazos del Padre. No veía, no oía, u oía voces
que habían muerto ya —¿qué habría sido de las otras, las
que mataron?—, rostros violentos, o acobardados, o resignados...*

—¿Qué te pasa?

*Empezó su angustiada confidencia, tanteando: «Había que
ordenarlo, no daba tiempo. Debió de seguir un orden para
que pudiera comprender...» Todo estaba a oscuras en aquel
escondrijo. Sentía contra sí el calor de otro hombre. Iba a
hablar...*

—...cómo fue de verdad. Aquellos hombres...

—No vuelvas sobre ello, estás obsesionado. Deja de pensar en ello.

—Es que no me creen... No fue así. Quiero decirle... Yo
tuve la culpa.

*Tenía ganas de gritar —todo él estaba gritando— «¡Ayú-
dame! ¡Ayúdeme! ¡Ayudadme!»*

—Escucha: te prohíbo, ¿oyes bien?, que vuelvas a acor-
darte de aquello. Olvídalo. Pasado. Terminado.

No hablaría más, acabada su esperanza.

—Vas a enfermar, los nervios... A tus padres no les gustaría. Dieron la vida como tantos otros. Mira a los demás,
vuelve los ojos. Si algo te pesa, hijo, arrepiéntete desde el
fondo de tu corazón. Ponte de rodillas...

Lloró. Ciego de lágrimas. (Había estado al borde, tan cerca de algo.) Lloró desesperado. «No me lo pueden creer. No me lo dejan decir. Es tan horrible...»

La mano del Padre compadecida sobre su cabeza:

—*Vete en paz.*

Se sacudió. Por vez primera deseó decir algo brutal, hiriente, pero un compañero le empujaba para ocupar su sitio.

Cuando la ira y la burla se aplacaron en él, le empezó el cansancio de sí mismo, y aquella artería para percibirlo todo, para rastrear los fallos, llegar aviesamente, implacablemente a la raíz última de las cosas. Buscó los libros que de antemano deseaba hallar, los razonamientos que él exigía para afianzarse —huyó de todo aquello que apuntalase su fe porque la odiaba—, intuitivamente eligió, hasta que pudo decirse: «No creo en nada». Y se sintió más fuerte, robustecido.

«No creo en nada».

Las cosas perdían peso, sin fe. Todo era menos importante y a la par más trascendente, porque sólo te servía mientras lo ejecutabas.

No admitir, no creer, le pareció una hombrada, y por eso no tuvo que vencer ningún prejuicio cuando entró en el barrio de la Herrería, ni sintió conciencia de culpa. Hasta cierto punto, sólo desencanto. (No había que esperar nada de la entrega de la conciencia ni de la carne.) «Una mentira más». (Las conversaciones a hurtadillas entre compañeros, aquel placer presentido en los besos de Nieves —era tan distinto con Nieves: un deseo prolongado, punzante y tiernísimo, y entonces, en la Herrería, urgente y brutal—, todo falso.)

Pero descubrió en ello un instante de olvido de sí mismo, un diluirse cercano a la nada, y fue y volvió en pos de aquel instante como un lebrel hambriento, deliberadamente se dio a

9

ello, llegó a ser habitual en aquella que no podía llamarse casa.

Regresó de aquel paseo con Bernardo enormemente enve-jecido. No se había sentido más fuerte después — Bernardo, en cambio, hombreaba, levantando los hombros, y le pre-guntaba detalles obscenos— sino inclinado hacia delante. (No era siquiera desilusión: cansancio de dentro, toparse contra un muro.)

«De eso no se habla». Le dio asco, supo que de aquello no se hablaba, y oía a Bernardo y a su propia voz contando los detalles que le pedía, casi automáticamente (y ninguno correspondía a la desoladora verdad), mientras deseaba repe-tir en alta voz: «De eso no se habla», y apoyar la cabeza contra el muro y morirse.

Fue la primera vez que deseó morirse. Bajaron por la calle de la Cruz Verde hasta desembocar en el paseo de Alfonso —ruinas de muros en el alto, el olivo, cervecería «La Tropi-cal»— (le pareció que venía de lejos, de otra ciudad dis-tinta, y estaba a un paso). Vio sobre la barandilla a la mar, serena y entristecida, y el sol enrojecido cayendo tras las Cíes. Pensó: «Si me limpiara...» Y después confusamente: «Morirme». (Que la muerte llegara, líquida y silenciosa, y le desbordase.)

—No se te vaya a escapar nada delante de las chicas —dijo Bernardo.

Riéndose, añadió:

—No puedes con tu alma.

No podía. El alma... ¿Dónde estaba el alma en la Herre-ría? ¿Qué era alma en ellos buscando el entresijo hediondo, el pasadizo hacia la nada del ser? Si aquello que le pesaba fuese alma, era una esclavitud, un peso enredado entre los pies. «Un peso muerto». Dos cadáveres corrompiéndose en su alma... «Hay que acabar», deseó ya entonces.

Después fue aún peor. Sólo al principio le fue dado aquel segundo de olvido, de asomarse a la nada. Hasta el momento en que se dio cuenta de que se le escapaban palabras como posos hirviendo, que hablaba furiosamente, entrecortadamente. Quedó absolutamente frío, con un sudor súbito adherido al cuerpo. No pudo descansar. Con los ojos muy abiertos procuró reconstruir lo que dijera. ¿Y otros días? ¿Había hablado también otras veces?

Fue una sorda ascensión por sus palabras hasta los pensamientos.

—¿Qué te pasa, chiquillo?

La miró, crispado. «¿Lo sabes?»

—Nada.

La escrutó. «¿Lo sabes?»

Dejó de frecuentarla. Huyó de sí mismo hasta llegar a la convicción de que podía morirse sin despegar los labios.

XI

E STEVEZ, *¿qué he dicho?*
Moisés se ponía en pie y miraba ante sí con semblan-
te vago, desamparado. El padre daba con el puntero contra
el pupitre.
—¿No escuchaba?
Ecuaciones en el tablero negro, números escuetos. Moisés
se sentía cansado, embrutecido. Aquellos números eran para
él signos herméticos, blancas señales de impotencia, se le
cerraba el cerebro, incluso le asombró que algún chico de su
edad se pusiera de pie y pudiera enumerarlo con voz clara.
—No se le puede exigir lo mismo...
¿Hablaban de él? Odió la larga ropa negra —¿cuánto
tiempo hacía que contenía este odio?—, el ceñidor en los ta-
lles varoniles, el aire untuoso, la piedad que hería, hasta el
aliento oliendo a café con leche.
Le importó un ardite que le adelantaran, y notó con ren-
cor que desde que perdía puestos sus profesores le trataban
con despego, se desinteresaban de él. «Antes de que me
echéis, me voy»... Se encontró solo. No arrastró a nadie en
su huida. Solo había venido —con aquellos cuerpos dentro
de él, pesando, doliendo—, solo se marchaba, y aquellos cuer-
pos muertos habían crecido, extendiéndosele por las venas,
por los nervios, parásitos de él mismo. Solo bajó hacia Guixar,

desde los Jesuitas, casi a oscuras la calle tortuosa, con sus
humildes casas de pescadores. Las mujeres en las solanas de
madera se asomaban en enaguas —carne abundosa, fatiga-
da—, entre redes tendidas, cestas planas y ristras de pimien-
tos. Olía a mar. Se encontraba bien, oliendo a mar. Era un
aire fuerte y limpísimo que le penetraba. Unos hombres cru-
zaron ante él, humildes, y volvieron la cabeza para observarle.
Moisés no pensó que su quieta presencia les extrañaba, que
temieron por él. (No quería terminar ni empezar: quería,
simplemente, dejarse ir.)

Tardó en volver a casa. Fue a lo largo de la ribera hasta
cerca de Bouzas y sintió frío. Entró en una taberna, creyó
hacerlo con desenfado: en realidad fue un muchacho tímido
y aterido quien entró, procurando no mirar a derecha e izquierda, que no adivinaran que entraba por vez primera solo.

—Un vaso de blanco...

El vaso se escurría a lo largo del mostrador de mármol,
y una mano tosca de mujer lo puso ante él, cantando el precio.

Era un local sucio que olía bravíamente a pescado. Algún
pescador sentado ante una mesa larga, rascaba la garganta y
escupía al suelo. Se halló a gusto.

Lo malo fue ir a casa. Hallar a tía Germana disimulando
que esperaba y que lo sabía todo. Se habría inquietado, preguntando al colegio. No suspiró. Cenaron en silencio, y él
notaba las orejas calientes.

Al día siguiente no le despertaron.

—La tía no viene a comer.

Volvió al atardecer con los ojos brillantes. Le había ma-
triculado en el Instituto. Parecía avergonzada.

—Una enseñanza laica... En fin, compensaremos.

—Se aprueba mejor.

Le gustó el destartalado caserón de García-Barbón, las es-

tatuas a un lado de la escalera, como si fuesen a subir alegre
o dignamente con el tropel de muchachos. Acabó aprendién-
dose de memoria los grabados de los pasillos: Doña Juana
ante el ataúd del marido (volaba el velo de la viuda loca y
las llamas de los cirios); una mujer amamantando a su padre
en la cárcel; el bobo de Coria... Había cristales que conser-
vaban aún tiras de papel. No estaban rotos: los habían olvi-
dado desde la guerra.

Allí no se hablaba de mujeres a escondidas, sino entre
risas y dibujos. No le gustaban aquellos muchachos, golosos
de vida y de experiencias. Moisés Estevez comenzó a beber.
Iba por las tabernas del Berbés y bebía con los pescadores.
Bebía porque se sentía ligero cuando el vino le calentaba,
con una insospechada fuerza, flotando sobre el mundo. Había
pescadores de su edad, mocetones curtidos que le miraban
con desconfianza. No se prestaba a bromas. Escuchaba a los
demás. Bebía como quien se entrega, serio, y se habituaron
a verle y llegó a parecerles Moisés como el calendario sobre
el mostrador, o la hilera de botellas.

Jugaban a la brisca sobre la larga mesa sin pulir. Alguna
vez callaban cuando entraba él. Hablarían de él... ¿Qué importaba?

Se sentía a gusto, infinitamente a gusto, tan cerca del ba-
tir de la mar, con aquel olor bravío y salobre, entre aquella
gente gritona y pausada, pero sincera.

(En el jardín otro muchacho humilde: el hijo de la asistenta.

—Moisés, ahí tienes un amigo para jugar.

Mirándose como dos enemigos, sin hallar palabras.

—¿No jugáis?

Al marido de la asistenta le habían matado también.

—Era un pobre... Mala idea de alguien, porque tenía de

rojo lo que yo —decía tía Germana. Y la mujer seguía viniendo a lavar.

Durante algún tiempo Moisés miraba desde lo alto al chico, y le extrañaba que le mandasen jugar con él.

—También al padre de ése le pasearon.

Lo oyó en la cocina. Él «también» se le clavó en la carne. «Era distinto». Después supo que no era distinto, cuando comenzó a interrogarse a sí mismo.

«El frente era otra cosa, la guerra era otra cosa: cosa de hombres. La muerte sin más juez que un cerebro infrahumano dictándole sentencia a una mano animal, era lo rojo.»

Moisés cuando oyó decir: «Le pasearon», recibió un impacto de vergüenza, porque ya no le era permitido ni juzgar.

—Le sacaron de casa.

«Un momento y voy con ustedes»... Aquello no les unió. La madre no volvió con el chico. Moisés tuvo tiempo para pensar: «Le sacaron de casa. ¿Adónde le llevarían?»

No se sentía vengado, se sentía escarnecido.

El chico de la asistencia era rencoroso, desdeñoso, se tragaba un insulto que se le adivinaba en la actitud. Y Moisés había perdido fuerza moral para ir a él —sintió por vez primera que formaba parte de una colectividad—. Sobre todo, ambos eran unos muchachos que no tenían ganas de jugar, quizá ni sabían, ni gana tampoco de volver sobre aquello.)

(Su padre por los pasillos. Su padre por los pasillos... La sirena ululando.

—No te asomes, que te van a ver.

Perdida toda lógica, insensatamente, su padre deseando:

—Ojalá nos arrasen.

Porque eran los suyos, el bordoneo de los aviones en la noche con la entraña preñada de muerte.)

Comenzó a beber.

Los ojos de tía Germana interrogantes, no diría que severos. Aprendió a enjuagarse la boca con Listerine antes de bajar al comedor. Tía Germana, infantilmente, cerró la bodega. Preguntó un día, sin mirarle:

—¿Qué piensas ser?

«¿Hay que ser algo? ¿Qué pienso ser?... Hay que ser algo».

No quería estudiar, nada que costara esfuerzo. «Los empollones son los tontos». Lo que quería saber lo había averiguado ya. Más, ¿para qué? ¿Necesitaban ciencia los hombres de la taberna para vivir? Y eran más felices que los demás, al menos, más sanos en sus palabras.

Lo peor fue con tío Gabriel, cuando vino aquel verano. (¿Quizá su hermana le había sugerido la conveniencia de que viniera?)

—Vaya, vaya, Moisés, no perdamos el tiempo...

Y cuando él esperaba que le hablase de una carrera le habló de sus visitas a la Herrería. Moisés sintió que se azaraba, que le sudaban las palmas de las manos.

—Siéntate, hijo, cómodamente. Vamos a ver, como no tienes padre...

Pensó: «Todo el mundo se cree con derecho».

Tío Gabriel le miraba con sonrisa comprensiva, tolerante. Acostumbrado a otros ambientes, el problema le parecía pueril y engorroso, incluso, secretamente, le divertía.

¿Conocía tío Gabriel a doña Patro? No. «Fue Gabriel, el idiota, Gabriel el soplón. Se lo diría la vieja».

(—¿Habéis visto al crío? Tratádmelo bien.)

Se reían, y él las miraba impávido, hosco, con las manos en los bolsillos. No tenía dinero, pero no hacía falta. La vieja llegó a tener miedo de aquel muchacho delgado y seco, febril y frío.

—Mira, un consejo es un consejo...

—¿Usted?

Tuvo ganas de arañar al mocoso.

—Yo. Pude tener un hijo... Y te lo digo.

¿Aquella mujer pudo tener un hijo? ¿Quién decía que no?

—No es porque no dejes cuartos, es que una... ¿O te crees que no tengo conciencia?

Sentía miedo o compasión de él.

—Escucha: o dejas de venir —búscate otra casa si quieres, pero no te quiero en la mía, no te quiero en ésta— o se lo planto a tu tía.

Él se encogió de hombros, adentrándose por los pasillos.

¿Qué iba a decir a su tía? Habían averiguado quién era, todo se sabía allí. ¿Decírselo a la tía?... Le hirió como una injuria superponer la imagen de tía Germana a la de doña Patro.

«El idiota de Gabriel». Gabriel, el estirado y flemático Gabriel, con sus impecables uniformes, frecuentaba también la casa de la Cruz Verde.

—Eres imbécil, si me vuelvo a enterar se lo cuento a la tía.

Moisés no contestó: «Me llevó tu hermano», sino:

—Te guardas los consejos. No necesito niñera.

—Se lo digo a la tía...

—Allá tú, si te atreves...

Era inverosímil que nadie se atreviese a repetir una cosa así a tía Germana.

(Con ella en el tranvía, bajando la cuesta, a la derecha, la rampa que llevaba al barrio de la Herrería. No podía mirarse junto a tía Germana. Instintivamente se volvió, y vio que ella también miraba distraída hacia la calle aquella. Fijó sus ojos en los letreros de la zapatería de enfrente, consciente

de que se turbaba, de que si tía Germana se volviera y le mi-
rase adivinaría que conocía los portales de aquella calle alta,
como los humores de su propio cuerpo.)

«Ha sido Gabriel». *Y se preguntó cómo se lo habría pre-*
sentado a su padre.

(Un poco confuso, fumando, y el padre mirando con
sorna al hijo mayor. No inquirió:

—*¿Y tú cómo lo sabes?*

Ya se había explicado: «Un amigo le había visto con frecuencia. Hasta la dueña amenazaba con un escándalo. A él
no le gustaba andar con cuentos, pero...»

El padre tuvo una risita impertinente, mirando al joven,
que se azaró. «Éste es muy comedido. No hay riesgo, con
éste».)

Habló con simpatía a Moisés:

—*Vamos a ver, como no tienes padre...*

Moisés vio, claramente vio, delante de él —en aquel es-
pacio entre el tío y él— el cuerpo en el suelo, de espaldas,
con un aire súbito de muñeco de trapo, y la sangre pegán-
dosele al pelo. Tuvo asco de sí mismo. El tío sintió pena y
simpatía por aquel grandullón ojeroso, creía que avergonzado
delante de él.

—*Vaya, vaya, vaya, Moisés...*

Durante unos días permaneció abatido, tumbado sobre la
cama. (Él no había encontrado placer en la Herrería, no
había esperado nada de la carne, al menos de la carne en
aquella forma.)

Poco a poco las palabras fermentaron en él. («¿Crees que
no tengo conciencia?»*) Se rió, con la cara contra la almohada.*
«¡Paparruchas!» *(La Virgen Dolorosa en aquella habitación,*
medalla sobre aquella garganta... Personas a quienes su tía
consideraba respetables y cuya vida oculta le había sido reve-

lada por aquellas mujeres entre descarnadas alusiones.) Todo
se le venía abajo. Se levantó de la cama como si hubiese pa-
sado una enfermedad.

Bueno existir, de pie, junto al mostrador de mármol,
apenas oscilando él, como si la mar le llegase, cercano su olor,
el pitido desgarrado de las parejas pesqueras, acostadas tan
cerca. Salpicaban la oscuridad los faroles de los barquitos
—iluminaban sus chimeneas, sus aparejos— con una luz incierta que trascendía a sal. Estos hombres, al menos, hablaban
de verdad— le ofrecían tabaco picado en las manos callosas
y él lo liaba con dedo experto—. Sus palabras ululaban o chas-
caban, no se andaban con contemplaciones; contaban faenas
de pesca, noches de mar, con voces calmosas, adormecidas, o
discutían entre ellos.

Moisés rondaba el puerto. Miraba desatracar a los vapor-
citos en el anochecer. Se quedaba entontecido con el pitido
de la sirena y una enorme abulia, como si la sirena le ensor-
deciese para todo.

Aquellos hombres salían con su gorra calada y sus botas
de goma, y decían con el cigarro pegado al labio:

—Hasta â volta...

o:

—Vou ô mar...

Nunca dijeron: «¿Ves con nos?», quizá porque sabían
quién era y no querían líos.

Si lo hubiesen dicho, Moisés dejaría el vaso sobre el
mostrador, marchando con ellos a la pesca de altura. Aunque
sabía que no era verdad. Aunque pescar él sería mirar a los
otros, y quizá se volvieran:

—¿Qué ves facer aquí?... Aquí a mirar non queremos
ninguen.

XII

L AS *casas comenzaron a mirarle, las calles comenzaron a es-
tirarse ante él, severo el ceño de la ventana, esquivo, escu-
rridizo el asfalto. Todo era un formidable reproche a su paso.
Y dentro de él, inercia.*

*Empezó a caminar, errabundo, en torno a sí mismo y a
las cosas. Siempre podía preguntarse: «¿Para qué he venido?»,
o: «¿Por qué?», relegando el momento de elegir, de definirse:
«Quiero ser...» porque no quería nada determinado, sino
ser, simplemente, más bien estar. A veces, hasta existir le
estorbaba.*

*La ciudad crecía. El Berbés no era ya el Berbés apiñado,
desgarrado y vocinglero. Estuvo tiempo vallado, robando mar.*

*Las vallas eran altas, para ocultar la clandestinidad. Los
chiquillos se habituaron, y los perros, y las parejas del barrio.
Él vio caer las vallas, desmontarlas, y el espacio asfaltado,
y la Lonja nueva —cemento y hormigón armado—, y la
ancha dársena, y los nuevos pabellones de empaque. Vio con-
solidar o alzarse la industria de la mar (se entraba por un
callejón central pavimentado bajo una marquesina con luz
cenital, y a la izquierda tinglados, con los nombres sobre
las puertas de las cabinas, nombres nuevos y de uso tan fre-
cuente como la moneda diaria o el pan, hombres de empresa
que levantaban a Vigo...) La fábrica de hielo. Salían barras*

duras, cristalinas lo mismo que columnas de sal. Del camión al barco. El pescado esperaba en los barcos, salpicado de hielo, escarchado de hielo. Olía fuertemente en torno de la Lonja y de los pabellones de empaque. Los tubos de neón iluminaban azulada y fríamente el trasiego, carga y descarga. (Se oían martillazos, hierro contra hierro, cerca, en los astilleros de Bouzas.)

Pero el Berbés era siempre el Berbés, como el hombre es el niño. No le habían dolido articulaciones para su crecimiento, se había alzado sin dejar de ser, aunque fuese más grande y se le mudara la expresión del rostro. Los arcos bajos de sus casas humildes y salobres no abrigaban barcas, ni batía la mar tan cerca que Moisés, bebiendo en el mostrador, pudiera dudar si la espuma del vino se la había salpicado la mar.

¿Quizá era Flavia aquella enorme sensación de nostalgia, aquel aporrearse la cabeza contra su propio muro? Al principio pensó que le faltaba Nieves; luego, que el vino traía rojas visiones, alucinaciones grises o nimbadas, y huía de aquel rostro que buscaba (los más estoicos ojos del mundo aceptando el mal que les daba...) Iba aprendiendo que no había agua ni vino bastantes para ahogar aquella mirada última (miraba desde el fondo), que no había tierra suficiente, ni islas para poner encima.

Y entonces, cuando sus primos no venían ya, cuando las gentes y las calles se le tornaron hoscas y tía Germana silenciosamente afligida, se casó Flavia.

(Las cartas de Flavia eran cartas breves, estrechas, con ancho margen blanco, y la escritura alta, derechísima, con acentos sobre las palabras como la sombra de una bandada de gaviotas sueltas. No solía decir nada. Él alzaba los hombros: «Las chicas...» No preguntaba: «¿Estudias? ¿Qué estudias?», sino decía: «Estudio». Él seguía recordándola con

su cara alargada y delgadas manos. Flavia escribía poco, Moisés no contestaba nunca. Sería fácil escribir a Nieves: «Besos»... ¿Qué podría decirse a Flavia?

«Voy a la taberna. Huelo la mar. Bebo. Blasfeman, escupen. Suena la sirena, arrastran las cuerdas en cubierta, huele a brea, a aceite pesado, a frío. Y por encima, a mar. Cada vez voy menos al barrio de La Herrería — y no porque te quiera —, cada vez menos. Ya no sé cómo tienen las caras... No puedo leer. Te diría que las letras llegan a parecerme animales sueltos, negros, herméticos como las ecuaciones. No puedo con un libro. Entiéndeme: no alcanzo el significado de las palabras. No sé si será que me voy a morir. Que estoy muriendo...»

Todo esto a Nieves, no. Pero a Nieves podía escribírsele con mucho vino dentro, y decirle: «Si estuvieras aquí... Si yo pudiera ir ahora a casa, ciego, y encontrarte...»

Debajo de los árboles, paseándose con un abrigo negro. El camino no se acababa nunca, y él andaba sin pensar en nada. Vacío. Vapuleado. Era absurdo porque nunca había tenido abrigo negro. Sin embargo, le parecía recordarse en aquellos días como un enorme espantapájaros en un arenal sin cielo.

No estaba sucia ni manchada cuando la vio.)

Había vuelto a confesar, de hombre. No contaba como confesiones aquel acercarse en otros tiempos porque el rector o tía Germana estaban mirando, y decir formulariamente formularios pecados.

Pero en aquellos días volvió, espontáneamente, a la umbrosa paz de una iglesia. Fue la misma necesidad íntima e irrazonada que cuando escapó del colegio y bajó por Guixar, y se estuvo aspirando mar y espacio.

Lo malo fue que había bebido antes. Había estado be-

*biendo solitario, pasada la hora del café, solo en la tasca.
Bebía, apoyado de medio cuerpo sobre el mármol, vuelto
hacia el puerto. Estólidamente desfilaban ante él barcos pes-
queros, pequeños botes de remo, hombres que iban a su que-
hacer. Estólidamente cruzaban su campo de visión y se ale-
jaban, dejando a aquel hombre con la mano tendida, para
aplacar una sed, o un dolor, o el vivir.*

*La mano en torno al vaso y el vaso siempre lleno. No
se preguntaba: «¿Quién me llena el vaso?», ni miraba a la
cara. Sin chistar se lo echaba a la entraña, y de la entraña,
del vino o del aire de la mar, subía la memoria como sube
el vapor del agua hirviente. (Aquel dolor inconmensurable,
que no era dolor sino angustia, que no era nostalgia, sino
memoria viva, candente.) Unos niños corrieron azuzando
a un perro, un perro escuálido, tiñoso, que huía. Gritaban
los chiquillos con una alegría bestial. Escapaba el perro con
el rabo entre patas y el hocico hacia la tierra, rastreando.
Moisés se irguió... (Qué le importaba el perro.) No le había
mirado al pasar cerca, toda su fuerza concentrada en huir.
Pero los niños le cerraban el camino. Le tiraban piedras, albo-
rozados. Rosmaba el perro, enseñando los dientes.*

—¡Ô mar! ¡Ô mar!

*Moisés, por primera vez desde sus días de muchacho, vo-
mitó. Después se sintió ligero, como si el vómito hubiese
sido expresión de algo, y subió por la calle Real, miró casi
inconscientemente la de la Anguila —sinuosa, retorcida, es-
trecha, viscosa— y desde lejos, en la plaza ya, abiertas puertas dieron también sensación de anguila: luces en fila, pequeñas, tortuosas, serpenteantes en zigzag ascendiendo. Se encontró subiendo los peldaños de la Colegiata. Se encontró
dentro, ávido. «La Iglesia...»*

(—¿Tú no crees en Dios?)

Un deseo de comunicación hondísimo, antiquísimo, un deseo ahogado flotando en superficie.

—Padre...

Tendió los brazos hacia él, en la sombra, no sabía cómo era, ni importaba. Casi se apoyó en su hombro.

—¿Cuánto tiempo hace...? —susurrando.

Y él se encontraba apoyado, incapacitado en el último instante para hablar. Un respingo:

—¿Has bebido?

Entonces le fue devuelta la palabra.

—Antes, sí, no importa... Padre, quería decirle...

«Padre lo arreglará... Pregúntaselo a tu padre...»

—Márchate. ¿No te da vergüenza?

Salió expulsado, rechazado. Entonces, sí, se tambaleaba, sin poder coordinar y se sentó en el fondo, sobre uno de los bancos, porque estaba mortalmente cansado. (¿Qué camino había andado hasta allí?)

Vio abrirse las cancelas del confesonario, vio salir al sacerdote.

—¿Quieres confesarte?

¿Había seguido pensando en él todo aquel tiempo? ¿Había sentido su llamada oscura?

Moisés le miró desde su soledad.

—No, he bebido.

Lo dijo con rencor.

—Es lo mismo. —Se impacientaba.— Ven...

Diría que aquel sacerdote le abrazaba, le retenía contra sí, en la hoquedad del confesonario. Habló mirando hacia el fondo, hacia la sombra, evitándole su aliento.

«Tengo que decírselo a alguien. ¿Qué importa a quién? Todo, desde el principio...»

Aunque para él era tan fácil contarlo, se daba cuenta de

que se embarullaba en el recuerdo, y quería luchar con las palabras. «No crea que estoy borracho». Y cuanto más se esforzaba más huía la expresión frente a la idea, y se hallaba diciendo palabras distintas, o tenían distinta fuerza, sin proponérselo.

«Volver a decirlo»... Iba, volvía, retrocedía, con la mano del sacerdote sobre su hombro.

—...me miraba con horror, instándome, al principio. Y después aceptó mi miedo, comprendió, no me despreció. Aceptó todo aquello porque era el miedo, y yo era su hijo... Abría los ojos con asombro, y se quería defender —un poco— de mi mano... Era mi madre, ¿me oye?... ¡Era mi madre!

¿Lo estaba explicando así? ¿Lo gritaba? ¿Le oían los muros de la iglesia?... ¿Por qué lloraba el sacerdote?

«No hay mayor prueba de amor que dar la vida por el amado».

¿O no era el sacerdote quien lloraba? «Me está usted mojando la mejilla»... Pero era él mismo.

Se abandonó a los sollozos. Ya que había empezado, apurar la vergüenza.

—No hubo pecado, fue un instinto natural.

¿Natural? ¿Luego admitía que el hombre —el niño— fuera ya un monstruo que vivía de la agonía ajena, del dolor ajeno?

—...Lo has deformado.

Se dio cuenta que el Padre creía que eran alucinaciones de la embriaguez.

—Volveré mañana, sereno, y le repetiré lo mismo.

Pero no volvió. Rondó la iglesia a última hora de la mañana, y no volvió.

Vio salir al sacerdote y dirigirse hacia la calle sin prisas. «Pensará que fueron divagaciones de borracho».

Miró despacio a la iglesia. Un muchacho la estaba cerrando. Sintió profundamente, en carne viva, que en verdad la estaban cerrando para él.

Fue antes de que muriera tía Germana, antes de que Flavia se casase, antes de que aquella mujer que decía como suprema defensa:

—¿Cómo serían mis hijos si vieran que a mí...?

en un clamor de su voz hondísima, le fallase también, llenara su vida de otros rostros, de otros afanes, y sólo le dijera si le tropezaba en la calle:

—Pensar que no conoces mi casa...

«Ni tu casa, ni tu hijo... Voy a hacer testamento en favor de Manuel».

Y se sonrió por la palabra «testamento»... ¿Qué diría Ignacia?

—*¿De qué vive?*

«De poco, ya ves, de lo poco que queda».

Quizá tía Germana no pensara que le hacía un mal al dejárselo todo, que le liberaba de elegir, de determinar. Gastó los contados bienes de sus padres (se dejó engañar, lo sabía, aquel dinero perforaba sus manos, las llagaba). Pagó el barco a Silverio.

—*Xa cho irei devolvendo pouco a pouco, é con réditos.*

Sabía que no, pero le agrió que fuera no... No eran tan sencillos tampoco aquellos hombres, y empezó a escucharles con sorna: daban rodeos, vueltas. (Habría corrido la voz: «Prestoulle os cartos ô Silverio».)

—*Mala pesca... Ainda por riba sacan nos do noso pro seguro.*

Moisés pagaba.

Pagaba su fe en ellos, y no le costaba liquidar aquella fe con unas monedas, no le importaba saber que le estaban des-

*pojando, repartiéndosele, bebiéndose su vino. Le entró como
una furia de darlo todo, no por ayudar, sino para sentirse
libre.*

*Al principio le miraban a los ojos, cuando insinuaban;
después huían la mirada sarcástica y fría de Moisés.*

(—O qué importa e que o da.)

*No agradecían aquel dinero helado, rescate de algo, no
sabían qué.*

*Le miraban con desconfianza porque no exigía firmas ni
escrituras.*

—*Vai ti a saber...*

*Alguna mujer, o alguna hija, o alguna hermana se puso
en su camino de vuelta. Escupió por encima de ellas hacia
la calle.*

También alguno vino con sus pobres cuartos a pagar:

—*Guárdalo, no tiene prisa.*

—*É que logo non sei como respondelle... ¡Cólla-o!*

Moisés se alzaba de hombros.

—*Dáselo a Romana para vino.*

*Bebía a cuenta de lo que le debían, ya ni hacía el ade-
mán de pagar. La patrona cobraría de ellos a quien mejor
pudiera.*

—*Dígolle que o colla, pois é seu.*

—*Déjalo estar. No me hace falta.*

—*Eu non quero caridades. ¡Gárdese os cartos!*

*Los tiró sobre el mostrador. Moisés, despacio, los cogió,
los hizo trizas, los empujó al suelo donde había serrín y sa-
livazos.*

—*Barre aquí.*

*La muchacha corrió, y procuraría remendarlos en la tras-
tienda, porque la patrona levantó la sobada cortina y se fue
allá dentro, y se les oía discutir con sofocadas voces.*

«De poco, ya ves». Sólo aquello que tía Germana (¿le vio débil, le adivinó fallido?) dejó en forma que cobrase sólo la renta, sin poderlo tocar. Pero tía Germana hablaba números antiguos, pese a todo, y la cantidad no oscilaba, y la vida sí oscilaba, y los precios de vivir, aunque para él todo alcanzaba, todo llegaba. Sentía una sofocada ternura al acercarse a la ventanilla, lo mismo que si dijese: «Hola, tía», y la tía le tendiese el pan.

«A favor de Manuel». Como si Flavia no tuviese otro hijo... ¿Qué tenía para dejarle? La casa enorme de Vigo donde su madre subía a los altos árboles con aire de grumete. La casa sobre la bahía. Nunca quiso deshacerse de ella. Sería bueno que Manuel la habitase y que se hiciera amigo de tantas cosas...

Era suya, podía dejársela a alguien, aún tenía qué dejar —dejar la casa de Vigo era entregar la memoria— y podía ser a Manuel, por ejemplo...

(Flavia con su vestido rojo, por los cuartos cerrados. Flavia bajo la lámpara de pie.) «¿Qué pensarás cuando leas que es para tu hijo? ¿Qué dirá Guzmán?» A aquel hombre le sentía enemigo.

«Podría haberme hecho amigo de Manuel, ya ves... —Aquí está el tío Moisés, Manuel, aquí está el tío.» Cabía aquello...

No, no era posible ya, porque el tío olería a vino, ser humano fracasado aferrándose a un niño disminuido también, ensombreciendo la alegría vegetal de un niño.

Aunque a Flavia no le importase, aunque Flavia sufriese los arranques de su marido con tal de ver cerrarse sobre el cuerpecito de su hijo las manos desamparadas de Moisés.

(Aquel hombre primero a quien dio y le engañó, se lla-

*maba Silverio. La taberna donde el trato se cerró: «El Uni-
verso».)*

Se oyó un portazo seco. En la sala todos se pusieron
de pie.

XIII

Y él, Moisés, se dirigió hacia ellos. Titubeó a la puerta de la terraza —había un listón más alto, de madera sobre el piso— y como no le estaban mirando entró, acercándose al grupo que discutía. No hacían caso de él. Había a un lado del círculo formado por las butacas en torno a un sofá, un banquillo de terciopelo violeta adosado a una mesa baja, con una lámpara encima y un enorme jarrón con altos gladiolos y mucho verde.

No sabía bien qué estaban discutiendo —el portazo había sido como una luz de alarma— parecían aislados en algo propio, y se sentó sobre el banquillo, inclinándose hacia delante, amparado por el jarrón, protegido, semioculto. Miraba hacia la puerta mientras subía aquel cuchicheo airado, pendiente del regreso de Bernardo a quien viera salir. Cuando Flavia dijo, alzando un poco la voz (ellos en pie, discutiendo en un grupo, él sentado sobre su banquillo):

—No sabrá que estás aquí...

Felisa apareció en la puerta.

«Lo que es la juventud», pensó Moisés. Porque le pareció fresca, limpia, recién despierta a la una menos cuarto de la madrugada, entrando en aquella habitación enrarecida, sofocante. Junto a Constanza abotagada, a su padre, pesado y corpulento, a la misma Flavia, interesante y lejana, pero sin tiempo.

Felisa entró andando con desgana, con unos zapatos planos, casi zapatillas, vestida con un trajecito negro simple, cerrado alto. No era guapa, Felisa. Tenía la nariz excesivamente larga, los ojos claros y pequeños, el cabello oscuro, corto, en mechones desiguales y lisos sobre la frente. «Se peina como un gladiador romano». Después se acordó que una mujer —las que él trataba— lo había llamado «peinado de pobre». Le pareció una afectación. Y mucho más llevado por Felisa.

La nueva generación quería simplificarlo todo, pero quizá no fuera tanto por auténtica vocación de simplicidad cuanto por negarse esfuerzo.

Andaba dejando pender los brazos a los lados; no había escorzo en ella, ni suavidad, era recta descendente.

De una manera casi mecánica besaba a su padre en la mejilla.

—¿Tú crees que son horas...?

Pareció que no oía. Frunció casi imperceptiblemente las cejas.

—Hola, papá.

—Estoy preguntando si te parece bonito...

—¿Y tú?

Se reía, apoyando una mano en el brazo de Constanza para inclinarse a besarla. «Condenada, te la has ganado», pensó Moisés. Porque Constanza pareció revivir ante la descuidada caricia.

—¿Cómo, y yo? ¿Te parece bonito? ¿Y yo?... ¿Quién eres tú para preguntar?

Constanza procuraba tomarlo en broma:

—Claro, nosotros más viejos trasnochamos. La noche es para los jóvenes.

Besaba a Flavia. Le pareció insignificante, novel en la vida junto a Flavia.

No había visto a Felisa desde que su madre murió, se había formado una idea de ella a través de las palabras de Agustín, mitad él, mitad Flavia: morena —le había parecido entonces una niña morena, retraída, muy delgada—, desgalichada. No era ya delgada ni desgalichada: tenía el cuerpo hermoso y joven, con pechos de amazona, y unas piernas largas, carnosas, musculadas. Inclinó un poco la cabeza hacia él, y en el momento en que Moisés se levantaba para acercarse a ella, hizo con la mano un ademán cortante de saludo.

—Hola —dijo.

—¿Dónde estabas?

Qué tenaz era Gabriel, e insistente. La muchacha iba a saltar por alguna parte. Pero no. Se volvió hacia la mesita y sacó de la caja de plata un cigarrillo.

—¿De dónde vienes, vamos a ver?

Echó el humo mirando a Constanza.

—¿No se lo has dicho?

—Sí.

Constanza se apuraba.

Gabriel manoteó:

—Es absurdo, una muchacha a tu edad...

Se oyó algo así como: «...el año de la pera». No le miró. Fumaba despacio, de una manera desdeñosa y provocativa.

«Si fuese mi hija le daba una bofetada».

—¿Lo pasaste bien? —preguntaba Bernardo, acercándose.

—No, si ella lo pasa divinamente —decía Gabriel con reticencia—. La verdad, que es una educación... ¡Vaya educación!

—No seas pesado —dijo Bernardo.

—No, si el pesado soy yo, ya lo sé. Ella encuentra siempre justificación, se hace fuerte en vosotros.

—No digas tonterías —era la muchacha—. No me hago fuerte en nadie. No tengo que hacerme fuerte.

Hablaba casi sin alzar la voz, como si no mereciese la pena acalorarse.

—No. Si soy yo el que dice tonterías... ¿Te parecerá bien, Constanza, que llame tonto a su padre?

Constanza hizo un gesto vago, desamparada, con ambas manos.

Flavia se acercó a Moisés. (Sintió un calor súbito, insoportable, porque Flavia estaba a su lado. En la habitación cerrada, ahogada, se sentía mal. La terraza... Pero Flavia estaba a su lado... Le picaban los ojos. «Es el calor». No había que dejar de beber de repente, ni meterse en una habitación. El aire libre... Pero Flavia estaba allí.)

Se sentó en el banquillo, donde él antes, y se hizo a un lado dejándole sitio.

—Moisés...

Sujetaba la falda roja con la mano para ocupar menos.

Pensó: «No», pero se sentó. No quería mirarla, veía su pantalón —raído, oscuro, brillante, y pobre, nunca le pareció tan pobre. «¿Por qué he venido?»— y la tela roja a su lado. Cansaba mirarla, dolían los ojos de mirarla. No había dónde descansar la vista. Si miraba al grupo o a todo lo demás, lo veía estriado de rojo, temblando el rojo, rojas estrellas, círculos o rayas rojas, igual que si miras fijamente al sol o a la luz.

Los demás estaban discutiendo. O más bien, no. Estaba hablando Felisa. Y ahora hablaba con una voz tajante, suficiente:

—...Y somos más limpios, y más verdaderos, de lo que erais vosotros a nuestra edad.

—Eso es verdad —intervenía Bernardo—. Reconocerás, Gabriel, que en nuestro tiempo había una obsesión...

—Los chicos, puede ser, lo que es las chicas...

Hablaba como insultando a su propia hija.

—Y las chicas —se alzó Felisa—. No me importa lo que pienses de mí. Me importa un bledo.

—Precioso, reconocerás.

—Ni precioso ni horrible. No me importa. Vosotros tenéis la culpa de que no nos importe. También yo te he oído a ti ridiculizar la época de tus padres, ¿no es cierto? Vinisteis a barrer situaciones caducas, ¿no es cierto? Pues nosotros tampoco queremos saber nada de vosotros. Habéis barrido, a lo mejor, no lo sé todavía, pero no habéis dejado el terreno limpio, aún hay sangre, basura y desperdicios, ni siquiera eso: desbrozar bien el terreno para que otros edifiquen.

—Chist, chist, pequeña, eres injusta... —apaciguaba Bernardo.

—No soy injusta —se volvió como si la hubiesen picado—. Habéis querido ser algo; ya os diré cómo os vemos: una generación puente entre el pasado y nosotros. Lo importante no es ser puente, es ser el camino que pasa debajo, o el río. O el terreno de un lado y otro que lo sostiene, o lo que va por encima...

—¿Ya ves? —dijo en broma Bernardo, dirigiéndose a Gabriel—. Así nos juzgan. Los pocos años... Inútiles los sacrificios.

—¿Qué sacrificios, por el amor de Dios?

Abría los brazos con mueca burlona señalando el lujo de la casa. Bernardo se irguió:

—Los sacrificios, Felisa, no hagas que te hable en serio... Yo sé que nada he hecho. He sido uno de los muchos que ha procurado dignificar el trabajo de empresa, que he creído que había nobleza y aportación en un trabajo personal y continuado. Una generación se sacrifica o muere o es muelle, no importa el individuo: es la colectividad la que marca impronta. La generación que ha vivido la guerra...

—¡Valiente guerra!

—¿Qué dices? —preguntó.

—Ahí la tienes —dijo Gabriel. Y se cruzó de brazos.

—¿Qué sabes tú de la guerra?

Moisés iba a adelantarse, pero Flavia le cogió del brazo.

—No bebas más, por favor.

Le dio rabia. Le entró coraje. No iba a beber: iba a decir algo, si acertaba.

Pero se acercó a la mesa y se sirvió otra copa de coñac sin mirar a Flavia. ¿Por qué se creían todos con derecho a aconsejar? Estaba con la copa en la mano, y vio los ojos súbitamente fríos y distantes de Flavia.

—...por ejemplo, el tío Moisés. Sabes lo del tío Moisés. ¿No te parece bastante, verdad?... «¡Valiente guerra!»

Moisés bebió la copa de un trago. Vergüenza ante la muchacha. No vio su gesto de desprecio.

—El tío Moisés... El ombligo del mundo. Bueno, sí, mataron a sus padres delante de él. ¿Le ha servido de algo? ¿Ha hecho algo él? ¿O es que hace suya la muerte de los demás? Encuentro...

—¡Cállate!

—¡Felisa! —advirtió Constanza mirando atemorizada a Moisés.

—...Encuentro que ya está bien de pasear su desgracia. ¡Basta! Si la guerra la hicisteis por algo y la lograsteis, tened el pudor de vuestras desdichas. ¡Basta! No seáis tan egoístas ni tan bestias que nos la queráis infligir a los demás, hacernos cirineos —más bien Cristos— de vuestros rencores, de vuestras reivindicaciones. ¡Basta!

Hablaba a voces. Levantaba hacia los oídos sus brazos largos, negándose a escuchar, tapándose las orejas con las manos.

—¡Basta!

—¡Basta, digo yo! —airado Gabriel—. ¡Basta ya de oír insensateces!

Súbitamente fría y burlona:

—No, si tú no admites diálogo... A callar, y hay que callarse. Es algo que sabéis hacer muy bien. Nos lo habéis dado todo con pauta como si fuésemos eternos menores. No se puede discurrir, porque ya habéis discurrido por nosotros...

—¿Y a ti qué te importa?

Su padre la sacudía por un brazo.

La muchacha pareció crecer, alzando la cabeza, sosteniéndole la mirada.

—Me importa... Se trata de nosotros.

—¿Y qué hacéis «vosotros»? ¿Qué estáis haciendo, edificando, como tú dices?

Quedó un momento suspensa, mirándole.

—Nada.

Parecía preguntarse a sí misma. Luego, rápida:

—Nada, en efecto. No está el terreno limpio. No hacemos nada. Y lo peor es que no queremos hacerlo.

—Entonces —soltándole el brazo con desprecio— ¿a qué viene tanto cuento y tanto juzgar a los demás, erigirse en censor de lo ajeno?

—¿Te parece poco, que no tengamos gana de nada?

Felisa miraba ahora a Moisés. Dijo de una manera dulce y sostenida, casi infantil, como quien expresa un deseo imposible:

—Vivir. Que pasen los días. Resolverlos de una manera fácil. Que no nos los compliquéis...

—Claro, nosotros tenemos la culpa.

Bernardo decía:

—Déjala, Gabriel. Anda, vete a acostarte.

—No. No voy a acostarme. No se arregla nada con decir: «Vete a acostarte». Antes has ido a buscarme para que viniera. Aquí estoy.

Seguía mirando a Moisés.

—...Tampoco se arregla nada con beber.

—Hablas como una perdida —las palabras fuertes eran de Gabriel—. Como una perdida. ¿Ésa es la religión...?

Felisa se rió. Estiró el elástico del traje junto al cuello y se rió de una manera insultante.

—¿Por qué no vas a la cama, niña? —insistía Constanza con ternura.

—Me dejarás que te diga —intervino Bernardo, serio— que no hacer nada es peor que equivocarse. Y no vale apoyarse en los demás para justificar el no hacer nada. Estáis desorientados, de acuerdo. Quizá porque sois menos profundos, no tenéis suficiente fuerza para resistir el choque.

—¿Y de quién es la culpa?

—No nuestra. Habéis nacido cansados.

—Desde nuestras madres... Tú lo has dicho. Vosotros sois un producto del miedo, de la angustia. Nosotros, de un infinito cansancio que estaba en nuestras madres al crearnos, de una desilusión sin límites.

Gabriel dijo, despectivo:

—Qué estúpida manera de hablar, pareces un orador. Vosotros, como tú dices, que odiáis la retórica.

—No es retórica. Además, te diré: preferimos la retórica a las palabras simplísimas, disfrazadas de verdad, porque hacen más daño. Aquello ya sabemos que es retórica.

—Qué lío te armas —sonrió Bernardo, indulgente—. En

el fondo estáis deslumbrados. Sí, no arquees las cejas: los Estados Unidos, el dólar... «Fulanito-gana-tanto-en-la-casa-americana-sólo-por-dibujar-más-que-un-ingeniero-no-vale-la-pena-estudiar-carrera». Todo fácil, sin molestaros. Os volvéis, desencantados, es cierto, hacia los pueblos nuevos, renegáis de esta vieja, entrañable, dura y sufrida España.

—No es verdad...

—...Pero acordaros que esos montes pelados, abruptos, arriscados, para repoblarse necesitan manos jóvenes que no se cansen de golpear el hacha y de dirigir el árbol. Los que empezamos a ser viejos no podemos más.

—...No es verdad. Sólo que tampoco nos creemos ya que todo lo mejor es lo nuestro.

Parecía un poco apabullada.

—Eso está bien. Donde hay comparación cabe superación. No enroscarse al sol en los zaguanes de Castilla...

—Gracias, ¡qué buena frase! —rió zumbona y cariñosamente.

Y se inclinó para dar un beso rápido a su tío.

—Me voy a la cama. Estoy rendida.

—Yo también me voy —dijo Flavia.

Había estado silenciosa, derecha, sin intervenir. Se puso de pie. Y entonces dijo:

—No me gusta terciar en estas cosas. Entiendo muy poco de política, no me interesa. Nos ha tocado no hablar de que la vida es difícil, sino vivir que la vida es difícil. Me parece que conviene decir —antes has dicho, refiriéndote a Moisés y a la guerra: «¡Valiente guerra!», con un total desconocimiento; no intentáis mirarla desde dentro, he ahí el error— que esta chica habla como si ellos fueran los jueces y nosotros los acusados. ¿Acusados, de qué? Es absurdo. Desconocéis la situación creada. Creéis que fue una situación de derechas e izquierdas. No, señor: fue cuestión, me parece a mí, de comunismo o no —y al decir comunismo entiendo destrucción de toda posesión espiritual—, de respeto a la vida o no, de que los niños no se criaran en el temor ni en la angustia como has dicho bien.

¡Qué honda, profunda, continuada, la voz de Flavia!

—...¿Habéis nacido con cansancio infinito? No dramaticéis. He ahí lo vuestro: no dramaticéis, no juzguéis, aportad vuestro cansancio, vencedle, para que tus hijos, Felisa, no nazcan del asco ni del abatimiento, sino de la esperanza.

Felisa se volvió hacia Constanza como si no hubiese oído. Dijo:

—Me han dado recuerdos para ti.

Y Gabriel se acercó a su hija y le cruzó la cara.

—¡Gabriel! —chilló Constanza.

Felisa se puso en pie, ni pálida ni asustada. Quizá lo estaba esperando.

Llevó la mano a la mejilla y dijo sin sonreír:

—Gracias.

Se marchó sin volver la cabeza. Constanza quiso retenerla, o ir tras ella. Dio un tirón y se desprendió con violencia. Flavia dijo:

—Niña, no lo tomes por lo trágico. Es tu padre.

Contestó con los dientes apretados:

—¿Ah, sí?,

como si preguntara: «¿Eso lo justifica todo?»

Y con maldad, con una adivinación cruel, le lanzó con sarcasmo:

—Tú, quédate con Moisés...

Flavia enrojeció. Enrojeció ante todos, súbitamente, como si la bofetada se la hubiese devuelto a ella.

Moisés no pudo protestar ni decir nada. («Quédate con Moisés», ¿qué significaba?)

Y Constanza le decía a Flavia, de prisa:

—Tengo que enterarme, ¿sabes? No es culpa de ella. Lo que oyen a los demás... Tengo miedo a que se haya enamorado de alguien raro.

XIV

No *bebas más*», de Flavia. Tan cerca, a su lado. La bofetada, restallándole dentro, causándole un vértigo de violencia. La muchacha tan joven, tan adusta. La muchacha que no se andaba con rodeos, que iba recta a la verdad, o que exigía la verdad. Y el: «*Tú, quédate con Moisés*» dicho a Flavia. Y Flavia turbada. Le pareció que por su culpa la habían insultado. La vio, un instante sólo, desposeída de su serenidad: alguien había levantado un velo rojo, y ella estaba alterada, deseando escapar, como de niña cuando se guarecía en su soledad.

Y él tambaleante, igual que si de rechazo le hubiesen golpeado también. Apretó los puños. De prisa pensó en la manera de vengarse.

Flavia se iba. Se iba sin grandeza, le pareció. Decía:

—Adiós a todos,

sin volverse hacia él.

«Cochina vida. Lo mejor es morirse.»

Se acercó a servirse otra copa —de nuevo la sed bloqueándole la garganta— cuando Bernardo le dijo entrando (había ido a despedir a Flavia y a Gabriel):

—¿Te vas ya?

No era una pregunta. Se sirvió la copa, miró de frente, pensó que con serenidad, a Bernardo, y contestó:

—Ahora.

Bebiendo intento a pequeños tragos.

(No había vuelto Constanza. Y habían llegado a aquello. ¿Por qué no se marchó el primero si estaba deseando irse desde el principio? No había acertado a hacerlo.)

«Ahora no hay que pedir favores, ¿verdad? Ahora que uno se siente viejo no hace falta cambiar los nombres. Ahora, puede uno dárselas de hombre correcto, y echarle como a un perro sarnoso.»

Bernardo cruzó la sala sin mirarle y se dirigió hacia la terraza. Moisés rió con maldad. «Ahora le toca a Agustín.»

Acabó la copa y la colocó sobre la bandeja de plata. Odiosa la bandeja, el cristal tallado, el terciopelo suave de los sillones. Odiosa la falsedad.

«—¿Te vas ahora?»

Sentía una vergüenza hirviente, pero se rió. Rió agresivo al verle aparecer conduciendo a su hermano. «¿A ése también le echas?»

Dijo:

—Esperaba por él. No iba a dejarle solo, comprenderás…

Y le subió una náusea por mentir, por rebajarse a la explicación. Bernardo no le hizo caso. Siguió adelante llevando a su hermano hacia el vestíbulo. Agustín callaba. Vacilaba levemente sobre sus pies —parecía más bien que anduviera a sobresaltos—, pero no despegaba los labios. «¡Ojo!», pensó Moisés. Porque sabía que Agustín era peligroso así, se agriaba. Iba con los labios lívidos, lívido el rostro, con unas ojeras enormes, y los ojos brillándole vagos y alucinados. Manchado el traje, arrugada la camisa. Parecía condensar fuerza o ira en aquel rostro cadavérico. Sintió como si fuera a él a quien arrastraran, a lo largo del pasillo alfombrado (asomó un criado y Bernardo hizo un gesto con la mano,

apartándole; sentiría vergüenza de que vieran a su hermano así.)

«Ha mandado acostarse a Constanza. Marrano.»

Le hubiese gustado Constanza allí, con su ridículo y con-
movedor aspecto, porque quizá entonces no se sintiera tan
hombre Bernardo.

—Os llevo yo en el coche —decía.

«¿Cómo? ¡Qué tontería!... ¿Qué se ha creído?» Se puso
de espaldas apoyándose levemente sobre la mesita de la entrada, donde estaban los sombreros. «¿Cuál es el mío?», no
estaba muy seguro. Y vio en el espejo los ojos inseguros y
rabiosos de Agustín.

—No, voy andando.

—Os llevo yo.

Sacaba del bolsillo del pantalón la llave del coche. Moisés dijo:

—No jorobes. Voy a Chamartín...

Y esperó la reacción de Agustín. Parecía no entender.
Entonces se rió, dando una palmada sobre el hombro a Bernardo:

—Deja el camino libre...

Y Bernardo le miró con desprecio, sí, con absoluto desprecio.

Algo hacía Agustín en la mesita, se demoraba. Preguntó:

—¿A Chamartín?

casi balbuceando.

—Hay muchas casas en Chamartín...

Guiñaba un ojo a Bernardo. Sabía que Agustín le miraba
y que había un odio mortal en sus ojos.

—No se puede tener todo —dijo.

(Le parecía ver a Flavia alejándose, huyendo más bien,
y él no la había defendido, y Flavia quizá pensara al llegar

a su casa: —qué caliente la casa, los niños dormidos— «Lo seguro es Guzmán. Yo, tonta...», y se habría dado a él huyendo de sí misma, en este momento, en este instante mismo... Le parecía ver por el suelo el traje rojo vacío, como la piel desollada de una mujer.)

—...¿Verdad, Bernardo? Constanza, ¿eh?...

Rezongó. Había tan clara intención insultante que Bernardo se irguió (tenía vientre ya, Bernardo, tan calvo, ridículo aun cuando pretendiese resultar digno).

—¡Márchate ahora mismo! Estás bebido.

—Bueno, hombre, como si no nos conociéramos. ¿Te acuerdas, Sara, eh?... Aquélla sí que era hembra.

—Anda, márchate.

Se suavizaba. «Está pensando: está borracho, no hay que tomarlo en cuenta.»

—Menuda hembra, Sara, ¿eh? Vaya piernas, vaya...

Bernardo se volvió instintivamente hacia el corredor. «Teme que oiga Constanza.»

—...«Lo que se hace se deshace», ¿te acuerdas?

Agustín había cogido la mano dorada del mortero. ¿Qué hacía con ella? La había cogido y parecía pesarla. (Era un bastón corto, macizo, de bronce dorado.) Sintió deseo de huir, una campanada dentro: «Ya está», y un anhelo furioso de ir a ello y destrozarse.

—...¿Lo deshizo? —hablaba desesperado—. Son unas condenadas, cualquiera sabe. Es como Choni...

Agustín murmuró algo entre dientes, algo así:

—¿Qué de Choni?

—...Yo también digo: «Lo que se hace se deshace», pero ya sabes, estas zorras se empeñan en tener un hijo... «Quiero un hijo tuyo, quiero un hijo tuyo.» No hay quien se lo quite de la cabeza.

—Márchate, Moisés...

«Nunca más volveré a cruzar el umbral de esta casa, lo sé. Nunca podré mirar a Flavia, lo sé. Nunca, nunca. He terminado todo.»

Sentía que había gente despierta en la casa, atenta. En el piso alto quizá Felisa, quizá Constanza. ¿Juntas? Quizá con miedo. «No sabe cómo ponernos en la calle.»

Bernardo no le enfrentaba. Le estaba toreando. «Si te crees que...»

—¿Por qué no tenéis hijos, eh, es cosa de la vieja?

Bernardo miraba hacia la casa y hacia él. Dijo de una manera firme, sin levantar la voz:

—Escucha, no me hagas llamar a los criados.

—¿Y qué, tus criados? Llama a tus criados, ya sabemos que los tienes. No tienes hijos, pero tienes criados.

Se rió. Miró hacia el jardín pequeño, ordenado, frío. Le gustó la frase:

—No tienes hijos, pero tienes criados...

Se reía. Quiso hacerse el cariñoso. Cogió a viva fuerza la mano de Bernardo y la sacudía estrechándola contra él.

—Adiós, hombre. Adiós, hombre... La cena, estupenda.

Bernardo se dejaba pretendiendo sonreír. Moisés le estrujaba la mano.

—Me gusta verte, ¿eh?... Y, ya sabes, cualquier favor...

Guiñaba un ojo. Reía a borbotones. Guiñaba el ojo exageradamente.

Después dijo, confidencial:

—Oye, tú, me gustaría dar una propina al criado, ¿eh?... Te parece, ¿eh?

—Deja, hombre, deja.

—Que no se crea... ¿eh?

Inició media vuelta para volver a entrar en la casa. Bernardo le asió por el traje.

—Están acostados —dijo—. Mañana...

—Bueno, mañana.

Luchaba con su cartera en el bolsillo interior. «Veinte duros. A éste le reviento... Veinte duros.»

—Mañana se los das, o lo llevas a mi despacho.

—No, toma.

—Hombre, no seas estúpido.

Frío, mordaz:

—No soy estúpido. Sé muy bien lo que hago. No tendré criados, ni una villa (sí, tengo una villa, tú lo sabes), y sé muy bien lo que se hace. Haz el favor de darle ese dinero.

Bernardo no dudó. Aceptó el billete de cien pesetas. Dijo:

—Gracias. Constanza se lo dará.

«Es capaz de guardárselo.»

—Eso, se lo dais.

Y después, con la mano —era mucho más alto que él— le palmoteó en la mejilla creyendo obrar con desenvoltura.

—Adiós.

Arriba había luces encendidas. Subidas las persianas, las ventanas abiertas. Se llevó la mano a los labios.

—¿Están despiertas?

Volvió a hacer ademán de entrar en la casa.

—No me he despedido de Constanza.

—Deja. Se encontraba mal. Ha ido a acostarse. Habrá dejado la luz encendida.

—Bueno.

Desde el último peldaño se volvió. (¿Qué hacía Agustín?)

—Adiós.

Se detuvo un momento en el jardín. Qué fresco. Una noche tranquila, todo como amortiguado. Él tenía un calor enorme y en el jardín hacía fresco. «Necesito tomar otra copa», pensó.

«Estoy bebido», porque hacía tiempo que no sentía aquella sensación de irrealidad al andar. Pero el fresco le hacía bien. «Podía sentarme. Sentándome al fresco se me pasa.»

Cruzó la verja. «Cretinos, estúpidos... No os vuelvo a ver en la vida.» (No pensó: «Procurarán no verme más en la vida».)

Estaba en lo alto de Serrano. A esta hora no había trolebús. La calle, silenciosa, tranquila. «Se puede hacer lo que se quiera, en esta calle.»

Allá quedaba Bernardo con la vieja —qué mal le sentó lo de «vieja»— y con aquella muchacha a quien le hubiera gustado abofetear, vengarse, quebrarle la estúpida seguridad. «Ya encontrará quién. Me parece, por el camino que va...»

(A lo mejor a Bernardo le gustaba la sobrina joven, vaya usted a saber. Bernardo era un cerdo.)

Quería ensuciarlo todo, babearlo todo, porque se sentía humillado y avergonzado hasta el extremo límite.

—*No bebas más.*

«¿Qué se ha creído? Que le vaya con consejos a su marido, cuando la pega.»

(La funda roja por el suelo.)

«Me voy a casar con Ignacia, es la única decente... Estaba guapa, la muy guarra...»

Sintió: «La mejor manera: os divertís, me caso con vuestra hermana...» Aunque sabía que no, que Ignacia jamás... «Ésa tiene ganas de un hombre.»

—No hay ningún hombre como tú —decía Choni.

Siempre se lo habían dicho esas mujeres.

Volvió la cabeza. «¿Y Agustín?» Vio en lo alto de la calle, lejos aún, bajando hacia él, la silueta flaca y oscura. Apretó el paso.

XV

L A noche era clarísima, le iba dando en la cara el fresco de la cercana madrugada, se le ceñía a la frente como un paño mojado, a los pómulos, a los labios. Los faroles encendidos tan dentro de los árboles en hoja, que las iluminaban, transparentando un verde mórbido, casi carnoso. Bancos de piedra. No había nadie.

A derecha e izquierda, casas con jardines, sumidas en silencio. Alguna luz encendida, ventanas abiertas, pero nada se oía, como si no estuvieran habitadas. (Un momento, al cruzar ante un jardín en sombras, una risa de mujer vibrante, caliente, estremecida.) Se detuvo para aspirar hondamente. Los labios le abrasaban. Silencio... Sólo aquel coche largo, oscuro, apagado, frente a una verja de entrada. No se veía un guardia, ni una pareja en la penumbra, ni ningún trasnochador. Nadie, salvo Agustín y él.

Sentía pena por Agustín. Era aguda como un estilete, la pena. «*Tú es como si fuera yo...*» Ganas de llorar. Apretó las manos dentro de los bolsillos, reteniendo los sollozos.

Vacío, vapuleado. Bien se podía decir, hoy. Nada quedaba, todo por el suelo arrastrado, pisoteado. No quedaba nada en pie, ni de Flavia ni de nadie. (Quizá Ignacia, quizá Felisa, la lengua como un látigo:

—*Tú, quédate con Moisés.*)

Valiente la muchacha y dura.

«Quédate con Moisés» le hubiese hecho feliz unas horas antes. Ya no.

Procuró volver a imaginársela con el marido, hurgar en aquel dolor ardiente, afrentoso. Se emponzoñaba pensándolo como si la ultrajara, rebajándola a su nivel. «Igual que todas, al fin y al cabo... *No bebas más,* con tono de doctrina, ¿no te joroba? Si no llego a beber, me pongo malo. ¿Qué sabes tú de nada? Eso es lo que te mata», pensó. Pero cuando quería acercarse la expresión de Flavia acudía, no el rostro turbado que viera esta noche durante una fracción de segundo, sino la imagen pura y distante de Flavia niña, intacta. «Ya ves lo que queda de ti...»

Y huía. Casi ni se daba cuenta de que huía. Apretaba las manos en los bolsillos, acelerando el paso. De cuando en cuando, sin saber lo que hacía, se volvía para mirar dónde estaba Agustín. Debía de estar mirándole fijo, obseso. «Olvidarse que camina a mi espalda, desentenderse.» Bueno llorar con él. Ir a Agustín y llorar juntos, porque los dos... Pero Agustín alzaría la mano cargada, felino, en acecho.

Moisés huía. Una alegría que hacía daño, una alegría extraña. «Ya está.» Quería no pensar en lo que costaría de dolor físico poseer esta alegría.

Y gana de llorar. (Su propio cuerpo tirado, al fin, tranquilo, al fin. Y Agustín enloquecido, abrazándole. Y después, porque era cobarde, escapando, perseguido por sí mismo, a Chamartín. «Escóndeme, Choni.» Y Choni quizá le escondiera. Seguro le escondería, porque ya sólo le quedaba él. O quizá Agustín volviera a casa de Bernardo, tembloroso.

—Lo he hecho.

Y aquello le librase de Choni, del vino, de la vida que llevaba.

—¿Ves como se acaba?)

Le serviría de algo. «Lo hago por ti, Agustín.» Aquellas incontenibles ganas de llorar. «Lo hago por ti.» En el fondo redimido por él, no le olvidarían nunca, no podrían.

Los pasos cerca, cerca, procurando no meter ruido. Ni se volvió. Los pasos sobre él, tan cerca. «¿Cuándo...?» Ya no se recataba. Andaba detrás de él, respiraba fatigosamente. «¡Querido Agustín!» Ganas de volverse y abrazarle. Y ningún miedo. Miedo ninguno. (Hasta cierto punto inverosímil, irreal todo. En el fondo creía que no lo intentaría.)

María de Molina. La calle ancha, el seto de aligustre tenuemente iluminado por las pilastras con aquellos agujeritos de luz. Pensó: «La autopista. Barajas. Avión». Pero no quería huir. No hacía falta. Como la primera vez que fue a lo que llaman amor.

María de Molina.

(¿Qué hacía Agustín, a su espalda?)

La calle era casi descampado entonces.

Agustín no estaba tan cerca, se había detenido. Un hombre subía hacia ellos, balanceando un bastón. ¡Qué miserable alegría su presencia! «El sereno.» Tuvo ganas de reírse. Una bocanada de calor cuando comenzaba a quedarse frío.

—Buenas noches —dijo. Y se detuvo.

—¿Fuego?

El sereno encendió el chisquero y se lo acercó al pitillo. Le miró fijamente, quería acordarse de su cara.

—Gracias, amigo, buenas noches.

—Buenas...

Le pareció que miraba con desconfianza a Agustín, parado, apoyado contra un árbol. «¿Se habrá dado cuenta...?»

Se desentendió, ligero. Atravesó la plaza, y en lugar de seguir hacia Serrano, embocó la calle de Claudio Coello.

XVI

Y aquella era la calle. Quizá fue a ella sin darse cuenta, se encontró en ella como se encontraban sus pensamientos en la memoria. Entró por la parte alta de Claudio Coello, y no cayó en cuenta hasta pasado un rato, porque había nuevas casas, relucientes portales, fachadas de ladrillo rojo y grandes ventanas cuadradas. Pero, de pronto, pasado Maldonado, era la calle, una calle, la sola calle del mundo, la vena aorta de sus pasos, la que había regado su memoria, en la que se había debatido, aun estando en Vigo, para crecer, para salir de ella, para encaminarse a otras.

Moisés no pensaba porque era todo en él un formidable esfuerzo físico para recuperarse de su malestar. Andar le hacía bien, el fresco en la frente le hacía bien. Andaba. Pero andaba ya por Claudio Coello.

El recuerdo o el divagar era algodonoso, borroso y agrio, quería retenerlo y se esfumaba, se partía en centellas distintas, y quería seguir determinada dirección, retener, contener. No miraba ya si venía Agustín o no. Se encontraba mejor, y cansado.

Pasado Maldonado, sonrió con amargura. «Basta ya.» Alzó los ojos hacia las ventanas cerradas. La clara noche brillaba en los cristales.

No es que nunca hubiese pasado por allí, desde su regreso. Lo hizo una vez, intento, negándoselo y buscándolo, hurgando en su dolor para amortiguarle, creía. Pasó ante la casa con frío sudor, igual que si fuese un ladrón, y no la miró, pasó solamente. No era necesario volver, había que olvidar que aquella calle existía, que la casa no se hubiese demolido —esperando siempre que la casa vieja y no hermosa fuese derrumbada para reconstruir, lo hacían tanto...—. Pero recién llegado, cuando aceptó aquel puesto de inspector en el colegio San Pelayo, en la calle de Velázquez, cruzaba a veces desde Goya por Claudio Coello, Lagasca... Era la misma calle desde más abajo. Con frecuencia, al llegar al cruce, miraba hacia arriba; al principio no le dolía lo sucedido ni la presencia del lugar, sino el recuerdo del muchacho que fue y dejó de ser. El muchacho turbulento y sensible, entusiasta y alegre que volvía en el coche del colegio.

—*Estevez, no sea extremista,*

y reía al divisar su calle, como si la calle entera participase de la sensación de hogar.

Era automático. Veía la calle y rápidamente, de una manera confusa y confortadora, la imagen de su madre sonriente, y su padre brusco y vital, con una enorme paciencia para montar y desmontar motores («motores» eran sus pequeños automóviles, su meccano, el tren). Entonces, cuando pensaba en su padre, le veía de uniforme. Y le parecía su padre un héroe; quizá no supiese distinguir el ligero matiz de su pensamiento: héroe en potencia.

Su padre era comandante de caballería. No le había visto nunca a caballo. Tenía la promesa de que un día montaría ante él. Le pareció que un hombre a caballo era una estampa victoriosa. Su padre era seguro en sus opiniones, y no profundizaba en las cosas. Su madre, sí. Su madre, que era indecisa y parecía indolente, le preguntaba cosas y se quedaba con él entre las manos, mirándole a los ojos, como queriéndole extraer la verdad que hubiera más allá de los ojos. No decía cosas profundas, al recordarlas, pero sí esenciales; sobre todo las hacía. Las hizo cuando llegó el momento, con una paciencia suave y firme, y un valor colosal.

—¿*Ves el sable?*

El sable fuera de la vaina era de plata y noble y deslumbrante.

—*No toques...*

de mamá, porque él acercaba, imantado, el dedo.

A mamá no le gustaba el sable, y se estaba derecha, sin sonreír, amoroso y dolido testigo, cuando papá enseñaba al niño un arma.

—*Se descarga así...*

—*¡Cuidado!*

—*Está descargada, mujer.*

Toda ella algo pálida parecía advertir: ¡Cuidado!

—*No hay que jugar con armas* —*decía.*

Y se quedaba triste. O le abrazaba como si fuese a perderle.

—*Qué miedosas, las mujeres.*

Papá reía, limpiando la pistola.

—*¡Qué miedosa!* —*repetía, feliz, Moisés.*

—*Sí, muy miedosa.*

Cuánto debía de reírse de ellos, por dentro. O quizá no se daba cuenta de su inmensa reserva de valor.

—*Militar, no.*

—*Yo quiero...*

—*Nada, nada* —*le sofocaba la voz contra su pecho*—. *Tú no quieres nada. ¿Cómo vas a saber ahora lo que quieres ser? Tú eres un niño pequeño.*

—*Miedosa...* —*reía el hijo.*

—*No con armas...* —*los ojos negros, tan dulces*—. *No con armas.*

(Quizá presentía oscuramente que el arma se alzaría contra ella, que una gemela de aquélla le dispararía la muerte, la separación, la ausencia definitiva del hijo.)

Papá volvía enfadado de la calle. Decía:

—*Nos insultan. ¿Hasta cuándo vamos a aguantar...?*

Y él se sentía hervir de indignación y pensaba como su padre. Mamá contestaba de una manera que entonces les sacaba de quicio:

—*¿Qué importa? Si a mí no me importa...*

—*No se trata de ti. Es cuestión de dignidad.*

—*¡No te metas en nada!*

Él ya no recordaba si su padre se había metido o no en algo. Sólo que vestía cada vez menos el uniforme, y empezó a ser silencioso y abrupto.

—*No inculques odios al niño...*

—*Pensará como yo, lo que yo pienso.*

—*¡Déjale en paz!*

Discutían como si se lo estuviesen repartiendo. Y él se sentía entonces más cerca de su padre.

En aquella calle, por donde él cruzaba hacia el colegio San Pelayo, anteúltima etapa de una humillación que duraba tanto como la vida, que había llegado a ser externa, a provenir de fuera, aunque iba con él, consubstancial con él.

Fue Agustín quien le procuró aquel puesto. Lo aceptó porque no quería que le sobraran horas. Vagamente pensaba cosas como: «Rehacer la vida, vida nueva». Era sencillo: nadie le conocía, no había visitado parientes. ¿A quién le importaba?

Le dieron un cuarto pequeñísimo en el desván que tenía

que compartir con un futuro seminarista. El cuarto era pobre, frío y descuidado. El techo en declive, la pared rezumante de goteras, unas camas abatibles, de hierro, y un solo lavabo de palangana. En plena calle de Velázquez él vivía así. Le fastidiaba dormir con otro. Fue lo único que le molestó. Insensible a la diferencia entre su habitación amplia, y clara, y ventilada de Vigo —sobre todo la mar por la ventana, aunque llegó a sentirse limitado por un mismo horizonte, como si le cerrase el paso— y aquel cuarto pequeño, sórdido, mal fregado, con unas sábanas compradas aprisa y que olían a apresto.

Desde que era niño, y en verano Agustín dormía en su cuarto, no había compartido la habitación con nadie. Le obsesionó pensando que era algo que no sabría superar. El compañero resultó hablador, expansivo. Le hizo mil preguntas. Procuró contestar y se halló mintiendo. El otro estaba encantado de tener compañía. Moisés se acostó, desgarrado. «Así no gasto en habitación.» Se aferraba a esto. Lo que hacía falta para dormir era cama y techo. Lo tenía. Pero no durmió. Tardó una semana en acostumbrarse a aquella parlanchina y efusiva presencia, perdió la amabilidad con él, y o no le contestaba, o decía:

—Déjame en paz, voy a dormir.

Aunque a partir de la segunda semana fue él quien flaqueó, quien deseaba encontrarse con Valentín en el camaranchón —¡cuántas veces acudió a su memoria el cuchitril de Flavia, qué fácil cuando es juego; tanto como él lo buscó la vida se lo brindaba!— para desahogarse, soltar pestes contra los directores y los chicos.

Así tomó contacto con la actual generación. Pero no era interesante. No había individualidades. Parecían respirar al unísono, discurrir al unísono, proceder al unísono. Estaba asombrado. Y no era cierto que «juventud» fuese sinónimo de alegría o de corazón generoso.

—*Estevez, te llama el director.*

Porque había castigado sin salida a aquel muchacho que siempre aprovechaba la hora de estudio vigilado para hacer chirigotas, mandar papeles o postales a sus compañeros, hacerse el gracioso si le llamaba la atención. Harto de aquella petulancia se había permitido castigar.

—*No, no vas en el coche. Te quedas una hora más, estudiando.*

Y el director apoyó al muchacho. Quizá tenía miedo.

—*Son chicos, al fin y al cabo. Paciencia... No hay que tener soberbia. Además, usted no está para castigar, sino para vigilar.*

¿Qué autoridad le dejaban? Esa noche habló con su compañero de cuarto, estuvo desfogando su humillación hasta muy tarde. Valentín escuchaba con fruición, pero de vez en cuando le hacía con la mano ademán de bajar la voz.

—*¿Quién nos va a oír en este quinto pino?*

Al día siguiente tuvo que tolerar, en filas, pasando ante él, la risita impertinente y petulante del muchacho.

Pidió permiso para salir. Hubo que dar mil explicaciones para pedir permiso. Lo consiguió. Se fue, sin titubear, a Chamartín. Pensaba: «En busca de Agustín», pero oscuramente deseaba no encontrarle. Y no estaba. Fue la primera vez que se quedó con Choni.

—*Quédate aquí, se lo explicas a Agustín.*

Sonriendo ambiguamente:

—*Agustín te quiere...*

(No quería pedir nada, deber nada a nadie.)

Se había pasado la hora.

—*¿Ahora cómo vuelvo?*

Levantó el visillo y la calle estaba charolada por la lluvia. No tenía fuerzas para arrancarse de allí. La mujer tiraba de él.

—*Yo les llamo. Tienes una prima, ¿no? Pues estás en casa de tu prima, no te encuentras bien, te quedas...*

Luego no fue posible volver a tolerar la vida emprendida, las filas, los recreos, los estudios. La juventud le pareció una jauría. ¿Cómo se había prestado a aquello?

Se sintió enormemente deprimido —se acordaba de la euforia del día anterior—, hecho un guiñapo desde que no bebía. «No se puede cortar de repente. Yo necesito beber para levantarme. Lo necesito...» Tenía frío hasta en los tuétanos. Y bebió en su cuarto sin recatarse del compañero, y se sintió mejor, aunque beber así, en soledad —aquello era soledad— y en la cama —no cabía sentarse o estar en aquel cuarto— era deprimente y sórdido.

—*Me voy.*

El otro dijo, sin mirarle:

—*Es mejor...*

Se ofendió.

—*¿Qué tienes que decir tú?*

Le vio sin juventud, macilento, sin voluntad. Con el color cetrino, sin jugo de vida en él. «No te apetece la vida porque no tienes reaños para ella.»

—*...¿Tienes que decir algo, tú?*

Le pareció que tenía tipo de delator. Y a conciencia volvió a beber, seguro de que le escandalizaba.

Se marchó. No le retuvieron. Le alargaron un sobre, estirando los labios, como quien retiene algo por decir. Al fin:

—*Voy a decirle una cosa...*

Moisés estaba ya en el pasillo, y le daba alegría la maleta a sus pies, y una cierta angustia. «Nuevo cuarto, nueva cama.»

—*Si sigue por este camino...*

Moisés atajó:

—*No le he pedido consejos. Yo no soy un colegial. Se los guarda usted para los colegiales, si se atreve...*

Dio un portazo. Estaba seguro de haberle herido. (¡Cobardes! No se atrevían con los chicos y con los padres de los chicos. No querían exponerse a perder educandos, sobre todo determinados educandos.)

La vida diaria le llevó lejos de aquel barrio, de aquellas calles. Y hoy había vuelto a ella —calle de Claudio Coello— sin determinarlo, porque sus pies de hombre emprendieron un camino conocido a los mismos pies cuando tenía doce años.

Aquella era la calle. Estaba en ella de nuevo y sentía alivio por hallarse en ella. Le pareció que había venido por su voluntad, o que sabía que iba a volver esta noche, como si hubiese soñado o vivido ya lo que estaba pasando.

Por aquel portal entraron aquellos hombres. Exactamente por aquel portal anodino que ahora cruzarían gentes tranquilas. Llegaron cuando había perdido fe en su padre, más bien admiración, respeto. *No se trataba ya del uniforme, quemado en la cocina —olía a tela quemada toda la casa, acre—, y mamá parecía contenta, atizando la tela para que ardiese antes, y papá no entró. Solamente él, Moisés, miraba aquella fogarata de la que sobresalía una charretera, o chispeaba la estrella de plata de una bocamanga. Algo se estaba yendo para siempre.*

Y papá andaba con sus trajes de paisano, sin corbata, y se afeitó el bigote.

—*Así* —decía mamá, contenta, cada vez que algo desaparecía.

Y él estaba furioso.

Comenzó a sonar el teléfono de una manera especial, distinta, o se le antojaba así. Porque el timbre del teléfono, o el de la puerta, o los frenazos de los coches, ponían los nervios al rojo, hacían saltar.

—Llaman... —decían, mirándose unos a otros.

Las muchachas —dos hermanas de Soria— empezaron a remolonear, quizá olieron la muerte. Casa de un militar...

—Nuestra madre está tan vieja, ¿sabe? Con todas estas cosas...

Mamá les pagó, les acompañó hasta la puerta de servicio y las besó, al despedirlas.

—Que tengan mucha suerte.

Así era su madre. Sin un gesto de rencor, ni agrio.

—Que tengan suerte —dijo.

Y se volvió hacia el interior de la casa, donde habían quedado los tres solos con aquella extraña presencia rondándoles, oprimiéndoles; cerró bien la puerta y echó a correr por el pasillo.

—Me alegro, Jesús. ¡Me alegro tanto!

—Para que te fíes... Si eres una idiota.

Parecía vengarse en ella. Mamá reía:

—Me alegro... ¡Fuera testigos que pueden ir con cuentos! Los tres solos nos defenderemos mejor, nos arreglaremos mejor, ya verás.

Comenzaron los registros.

—¿Mi marido?... No está. Había ido a pasar unos días a Segovia, y le cogió allí. Debe de estar desesperado por no saber de nosotros...

Hablaba, apoyando su mano sobre el hombro del hijo, y sonreía con naturalidad.

Registraban. A Moisés le divertía. Había que mentir con mamá, había que ocultar a papá. Le exaltaba. Pasaban cerca de donde papá estaba. El pecho de Moisés se partía por los golpes del corazón. ¿Cómo no lo oían?

Mamá les entregó el sable, y parecía alegre entregándolo.

—No hay más que esto, pero si quieren buscar...

Y ofrecía el sable entre sus manos.

Le parecía un poco un juego terrible en que se podía jugar con los mayores.

Mamá le besaba después

(—Gracias, hijo)

en la frente. Él corría al escondite de papá:

—Puedes salir...

Empezó a despreciarle. No sabía bien por qué, pero le despreciaba. No era valiente, no les recibía con el sable o la pistola al puño, se escondía en la alacena del cuarto de plancha y mamá tapaba las puertas con un armario enorme, medio vacío, pero sudaba al correrlo, y después nadie diría que hubiese algo detrás.

—Están llamando, están llamando... —apremiaba Moisés, saltando en torno a ella.

—Espera, espera...

Con las venas del cuello tensas corría el armario. Papá habilidosamente clavó una escarpia redonda, grande, y la ayudaba tirando desde la alacena con una correa que pasó por el agujero del clavo.

Mamá reía valerosamente.

—Nos vamos perfeccionando —decía.

—¿Por qué tarda tanto en abrir? —preguntaban los hombres, recelosos.

—Se escapaba la leche, tenía el gas encendido... Estoy sola. Tanto pasillo...

Sonreía tan dulce, tan auténticamente alegre y sencilla. «Qué mentirosa mamá. Qué bien miente. No se le conoce nada.»

Y él corría jugando por el pasillo como si la presencia aquella no importase. Era lo que había dicho mamá:

—*Tú, das cuerda al coche, le echas a andar, corres detrás de él. Como si no tuviéramos miedo a nada, como si no hubiera por qué tenerlo.*

Él no lo tenía. Encontraba formidable engañar a aquellos hombres y poseer el secreto. «Mi padre está ahí, a tres pasos.» Era un escondite auténtico, vivido, no jugado.

—*Gracias, Moisés.*

El beso de mamá, orgulloso, contento.

—*¡Me ayudas tan bien!*

Se hizo carne, prolongación de su madre. Se sintió de ella, hijo de ella, y estaba dispuesto a cualquier cosa por ella, porque ella sí era heroica con su risa impávida, sin temblar jamás, acudiendo sin esconderse, yendo a abrir la puerta, contestando al teléfono, hasta cantando por la casa.

Pero los hombres que subían lo hacían cada vez con más sequedad, con mayor apremio. Ya no había fórmulas de saludo, no intentaban suavizar la situación. Metían las manos en los armarios —la cara de mamá mientras revolvían en el de la plancha, «Papá estaba detrás... Papá estaba detrás» — y ella ayudaba a vaciarle.

—*Y aquí...* —*dijo, dirigiéndoles hacia el cuarto vacío de las muchachas.*

«Que papá no respire, que no estire un pie.»

Porque sabía que papá se quejaba de la postura incómoda. Y aquel día, cuando se fueron, papá lloró. Fue el fin para Moisés. Corrió mamá un poco el armario y él estaba con la barba crecida,

(—Así me desfiguro, para que no me reconozcan cuando tenga que salir a la embajada)

arrebujado en la alacena como un feto en el vientre de su madre y le temblaba la mandíbula. Era terrible verle, temblando así. Mamá corrió con los brazos abiertos:

—*¡Jesús!*

Le apretaba contra ella. Él sollozó —hacía un ruido enorme, daño enorme el oírle— sobre el hombro de mamá, y no le importó que estuviese el hijo delante, viendo a aquel hombre abatido, llorando derrotado, vencido.

—*Me entrego. Lo mejor es entregarme... —desesperado.*

«*¿Quién se entrega? Un militar no se entrega, no se entrega*», *pensaba Moisés.*

—*...No aguanto más. Esta vida de perros...*

—*No digas tonterías, no digas tonterías —insistía mamá sin cansarse, con una voz tan dulce. Y le acariciaba la cara.*

(No decía: «No llores», sino:

—*Llora, mi bien, necesitas llorar.)*

Moisés se sintió monstruosamente solo, le pareció que aquellos dos seres se bastaban, se compenetraban, que él había nacido de ellos pero se completaban, quedaba al margen. Le empezó un sentimiento, mezcla de desdén y de odio, un sentimiento fino y agudo que se filtraba, que le poseía, hacia el hombre escondido en la alacena del cuarto de plancha.

Mamá besó a papá de una manera que le explotó dentro la inocencia. Escapó para no verlo. Con la amargura enorme de aquellas dos bocas juntas, adheridas, de aquellos ojos cerrados en un éxtasis enervante que les aislaba de él, se iban de él.

No pudo mirar más a papá a la cara. Y el beso de mamá ahora sabía que era diferente. (Mamá podía besar así, con aquella cara enloquecida y arrebatada. Podía besar así. Pero no a su hijo.)

—*Gracias, Moisés.*

Con las manos tiernas revoloteándole en torno. Porque Moisés bajaba a la tienda, iba a las colas, su madre confiaba en él. Él tenía ganas de decir:

—*Gracias, madre,*
por confiar en él. (Le daba rabia que quisiera a papá de
aquella manera, que no le menguase el cariño, que se le
aumentase. ¿Cómo era mamá?)

«A lo mejor disimula también, como cuando suben a re-
gistrar.» Y la miraba muy atento para sorprender cualquier
gesto de complicidad.

—¿Aún no hay carta de Buenos Aires? ¿No hay aviso
de Gabriel?

Papá no salía ya del cuarto de plancha. Los registros no
se repitieron; una prima de papá mandó por la radio un falso
mensaje, como si papá estuviese de verdad en Segovia, y debieron de creerlo porque nada parecía interesarles en aquel piso
habitado por una mujer y un niño.

Pero papá, nervioso —o quizá sentía aproximarse a la
muerte—, no quería moverse del cuarto de plancha, se pasaba el día a un pie de la alacena, siempre dispuesto a ocultarse. Y mamá hablaba, sentada, a veces —pocas veces sentada— ante la mesa de plancha. Hablaba con una voz que
él recordaba de ensueño, llena de un deseo desesperado:

—Verás, cuando lleguemos a Buenos Aires... Entonces
nos parecerá mentira todo esto. Hay que aguantar un poco,
dar tiempo al tiempo... Cuando lleguemos a Buenos Aires...

Moisés estaba frente a la casa. Ya no se trataba de eludir,
de sortear. Estaba allí, mirando hacia los cristales, ávido de
verdad, y pensaba, con lágrimas en la garganta: «Mamá
abría el balcón, ese balcón, y se asomaba».

Alguien dijo dónde se hallaba su padre. Ahora comprendía que alguien lo dijo. ¿Quién? ¿Cómo fue posible? Sólo
lo sabían ellos tres... Quizá por la ventana los vecinos le vieron. (No. No era posible: había visillos, mamá tenía cuidado.) Oirían la voz o los pasos. Alguien delató.

Cuando sonó el timbrazo, mamá dijo, sonriendo:
—A tu sitio...
Y papá, que llevaba días sin registro, se puso pálido.
—A tu sitio, de prisa —urgía mamá.
(Extraño que no repitiesen la llamada, imperiosa, que no apremiasen. Venían sobre seguro.)
Mamá salió igual que siempre, igual que siempre abrió.
—¿Su marido?
—No está. Ya les dije...
La apartaron con la mano. Marcharon, pasillo adelante, y él se puso en pie agarrando el juguete, frío, helado, porque los dos que iban primero sacaban una pistola.
—¿Dónde está el cuarto de plancha? Venga...
«¿Dónde está el cuarto de plancha?»
Mamá no se movía. Había comprendido, al fin. Parecía privada de movimiento: sin movimiento y sin voz.
—Muy lista, ¿eh? —rió uno.
Y cogió al chiquillo. (Le cogieron a él, Moisés; un hombre de aquellos puso su mano sobre su brazo.)
—Ale, dinos dónde está el cuarto de plancha.
Pero ya iban ellos mismos hacia la cocina, buscando la proximidad. Él se dejaba llevar por el brazo, asustado.
Iban con la pistola. ¿Creerían que papá se iba a defender? «Sal, papá, ¡sal!» Deseó que saliera —aquel hombre le agarraba por el brazo; mamá, por fin, les seguía, tan pálida, con los ojos agrandados—, le pareció que si papá saliese todo se arreglaría. También podía matar, también tenía una pistola. («¿Dónde?»).
Pero no. Los hombres descorrieron el armario, riéndose, y allí estaba papá, encogido, mirándoles, y se adelantó.
Entonces no lloró, porque todo fue tan rápido que no hubo tiempo a nada; pero ahora le subía un deseo irresistible de

llanto por aquel padre que recordaba. Y extrañamente le pareció que había una dignidad en el recuerdo que sus ojos de niño no supieron ver.

Dijo:

—*Voy con ustedes.*

El hombre que retenía a Moisés por el brazo le soltó.

—*Voy con ustedes.*

No era servilismo, no era sumisión. Era apartarles de su mujer y su hijo, simplemente. Hombre ya, y miserable, comprendía la grandeza del padre en su miseria.

Echaron a andar todos hacia la puerta. Hablaban apenas; no recordaba las palabras; era peor y más amenazador que las preguntas de otras veces.

—*¿Y la pistola de reglamento?*

Papá entró en el despacho. No esquivaba, ya. Fue derecho a una estantería, abrió un libro que era una caja —sólo tenía tapas de libro— y entregó la pistola. Estaba con las mejillas hundidas, la barba a medio crecer, los ojos fijos en ellos. Mamá dijo:

—*Esperen un poco, ¿no? Le prepararé una muda...*

E hizo ademán de salir por la otra puerta. Y entonces todo se puso en movimiento.

—*Venga ya, no empecemos otra vez...*

La empujaron. Papá dijo:

—*No la toquen,*

y tendió la mano hacia ella, y en el momento mismo Moisés echó a correr. Porque vio peligro en los ojos de los hombres, en el gesto de papá; echó a correr pasillo adelante como un loco, y se metió en el cuarto de las criadas, y se hundió entre las batas y la ropa colgada en el armario de cretonas.

Sonaban los tiros. Sonaban... ¿Eran tiros? No eran muy

fuertes. La voz de mamá, aquella voz subidísima, la voz más alta y horrorizada del mundo, clamando:

—*No. ¡Por favor! ¡Por compasión! No ha hecho nada. ¡Por Dios!*

Y un ruido como el de un mueble que cae.

—*¡Socorro! ¡Socorro!*

(«Cállate, mamá, ¡cállate!») Temblaba como una hoja, no podía contenerse, Moisés, mordía la tela de las batas. («¡Cállate!»)

—*¡Socorro!*

No oyó lo que decían, sí los pasos precipitados de su madre, le pareció que era su madre la que corría por el despacho (¿quería asomarse a una ventana?), y ellos hablaban alto y a un tiempo, y de repente otros tres ruiditos secos, sordos, alevosos... coincidiendo con el ruido de una caída. («Madre. ¡Mamá!»)

Ya no podía pensar. Estaba rígido entre la ropa, con brazos tensos. Oyó el portazo de los hombres. Se iban. No le buscaban. Se iban... Pero no podía moverse. «No me puedo mover.» Tenía el pantalón mojado. «No me puedo mover.» Y cuando pensó que estaba solo, un rumor de delante, un golpear en la madera. De nuevo aquel temblor. «Ahora vuelven.» Pero era su madre.

—*Auxilio, vecinos...*

Lo decía a media voz, creyendo que gritaba. Pero a Moisés le pareció una voz enorme. Se acordó de aquel «¡Socorro!» atronador, inmenso, y de los tiros que siguieron.

—*¡Auxilio!*

Y luego:

—*¡Moisés, Moisés!*

Corrió, despavorido. («No grites, no grites. Pueden subir de nuevo si te oyen. No grites, por compasión».)

*El cuarto era espantoso. Ni se dio cuenta. Mamá estaba
en el suelo; más allá, papá de espaldas. Estaba en el suelo y
al principio no vio la sangre.*

—*¡Moisés!* —*decía.*

*Él corrió y se inclinó sobre ella. Y vio los ojos llenos de
una alegría sobrehumana al verle.*

—*Hijo...*

parecía hablar con dificultad.

—*¡Cállate!*

Le miró, asombrada.

—*Llama... Los vecinos...*

*Y seguía dando con aquello que tenía en la mano —un
pisapapeles— contra el suelo, para que la oyeran desde abajo.
Parecía enloquecida.*

—*¡Auxilio!*

«Van a subir. Van a subir». Le tapó la boca con la mano.

*«Cállate. ¿No te callas?» Le tapó la boca el hijo con su
mano, pequeña pero firme, apretándola. Ella se defendió un
poco, se hizo a un lado para respirar o gritar. (Oh, horror.)
Él no discurría ya más que aquello, seguro: no gritar, no moverse, que no vuelvan.*

Temblaba de nuevo como un perlético, con la mano allí.

Sonaba el teléfono.

*«Cállate. Cállate»... aunque ya no hablaba. Había ladeado
la cabeza y le miraba, tan fija. Para siempre aquellos ojos
en él... Le miró con horror, sólo un segundo. Luego, los
ojos parecieron sonreír, comprender, apiadarse, aceptar. Debió de pensar: «Hijo, tan pequeño, no sabes lo que haces».*

*Quizá hallara mejor morir, ayudada por el hijo a morir,
que por aquellas violentas manos extrañas.*

El teléfono sonaba.

Dejó de sonar. No sabía cuánto tiempo hacía que él es-

taba así (y los ojos de la mujer se habían fijado, vueltos hacia arriba, y había sentido un regurgiteo tierno en su palma, y una violenta sacudida que le asustó: «¿Qué quiere hacer mamá?»...) cuando llamaron a la puerta. Lo oía todo como desde muy lejos: el ruidito de forzar la mirilla desde fuera; estaban abriendo la puerta —después la madre de Paquito explicó que la había abierto ella; tenía costumbre de hacerlo así cuando se olvidaba de la llave la muchacha— y él no sabía quién venía, pero no tenía ya fuerzas para escapar.

«*Mamá sin moverse. Mamá sin decir nada. ¿Se ha muerto?*»

—*Apartadle...* —era el abogado de abajo.

—*Separadle, está desmayado.*

—*¡Pobre criatura!*

—*Creí que le habían matado también, tumbado sobre la madre...*

—*Tiene sangre aquí.*

Rompieron la pernera. Quitaron el pantalón.

—*No es nada. Es la sangre de su madre, pobre criatura... Se echó sobre ella para que no la mataran.*

La madre de Paquito le tapaba los ojos para que no viera los cuerpos en el suelo.

—*No lo olvidará mientras viva* —(¿qué suave voz cuchicheaba?)

—*Esa alegría le quedó* —lloraba a lágrima viva la madre de Paquito— *ver al hijo con ella, abrazándola...*

Y lo estrujaba a besos.

—*Llévenselo...*

Le dejaban pasar con respeto. Allí empezó la gran mentira, con aquel cuerpo materno por testigo. Allí se invirtió todo, y nunca tuvo valor —¿valor él?— *para afrontar la verdad.*

—*No eran mortales, los de ella...*

(«*Ya verás. No está muerta. Ya verás...*»)

—*Ha muerto desangrada.*

—*No tiembles así, hijo.*

(«*Que nadie me llame hijo nunca más*».) *Temblaba, temblaba.*

—*Le va a dar un ataque. Dadle una copa, hacerle reaccionar. Llevadle fuera de aquí.*

No podía moverse.

—*Vamos, hijo.*

(«*Que nadie me llame hijo*».)

Dejarla allí, tendida, con las faldas recogidas y los ojos abiertos. No pensaba en su padre. Creyó que no había mirado la sangre, pero después la recordó. El olor sobre todo. Para siempre jamás.

XVII

LLEVABA un rato dando vueltas ante la casa. Advirtió una sensación de peligro. Porque los pasos de Agustín resonaban en la noche, quizá los arrastraba, venía hacia él, inseguro sobre sus pies, pero decidido, inflexible.

«Me has encontrado, al fin». ¡Pobre Agustín!

No se había ocultado. El tiempo transcurrido se recuperaba, todo estaba igual, en el mismo punto de partida. Volvía a tratarse de vida o no, frente a aquella ventana del despacho.

«Voy, madre».

Una sonrisa íntima, amarguísima, un alzarse de hombros. Hubiera sido mejor evitarse lo que la vida era, haber sido rematado entre las batas de las muchachas.

Entumecido. La sensación de peligro subsistía en lo más íntimo del ser, pero amortiguada, apagada, no podía rehacerse contra ella. No estaba en condiciones de rehacerse, sino cansado, agotado.

«Me voy a dormir», pensó. Era estúpido, con Agustín avanzando por la misma acera, sin ocultarse.

No había dudado que era Agustín, pese a que al principio estaba lejos. No podía ser otro. Sabía que vendría.

Casi sin darse cuenta, cayéndose de sueño, fue hacia él. Le habló cuando aún le tenía lejos.

—¿Eres tú?

Igual que otras noches, las mismas palabras.

Agustín no contestó. Se detuvo un momento, desorientado. Quizá la voz del amigo despertaba algo en él.

—No te me pegues los talones, hombre.

Sordo, el deseo de zaherirle.

Brillaban los cristales de las casas. Agustín volvió la cabeza hacia atrás, para ver si alguien venía. Después, de una manera lamentable, se acercó y quedó frente a él, con la mano derecha en el bolsillo abultado. Parecía no tener fuerzas, no saber bien a qué había venido, y a Moisés le subió un infinito desprecio, sintió el cansancio como otros sienten la vida, y cerró un poco los ojos. «No volver a empezar. No dar más vueltas. Que rompa por donde sea».

—¿Puedes dejarme en paz?

Agustín se sobresaltó, algo empezaba a clarear en su cerebro.

—¿Para qué quieres que te deje en paz?

Hablaba con torpeza, con la mirada extraviada.

—¿Dónde vas?

Tuvo ganas de escupirle. «Cretino. Castrado».

—Donde me da la gana.

Machacarle, arrastrarle. Agustín hacía esfuerzos para recordar algo, quizá lo que había decidido hacer, aquello por lo que casi automáticamente le seguía. Se llevó la mano izquierda a la camisa, torció un poco la corbata, con dedos torpes desabrochó el último botón.

—Donde me da la gana... —repitió con voz pastosa, como un eco.

Y de pronto se irguió, con aquellos ojos oscuros, brillantes.

—Choni va a tener un hijo. ¿Quién ha dicho que Choni va a tener un hijo?

Apretaba la mandíbula. Moisés rió, con los labios blancos.

—¡Yo! Va a tener un hijo. ¡Largo!

—Largo... —repitió otra vez, como para que le entrara la palabra.

Le cogió por la solapa.

—Largo... Largo...

Estaba lívido, con aquella tirantez verdosa de la nariz a la boca. «Os lo devuelvo, vuestro hermano».

Ya no sentía compasión, ni pena, ni amor. Cansado y ganas de acabar, de no retroceder. Y, al propio tiempo, incredulidad. Poner en marcha la ira, y no desearlo, y hacerlo, y dejarlo venir. «Tengo ganas de irme a dormir, ya ves».

—¡Suelta!

—Suelta...

pero le sacudía flojamente por la solapa.

La casa impávida, la ventana impávida, la calle impávida. Veían tantas cosas... La memoria haciendo natural lo anormal, lo anómalo.

—Oye... Choni va a tener un hijo... —repitió Agustín como un estribillo desolador.

—Sí. Va a tener un hijo. ¿Y qué? —gritó, harto, desesperado—. Pregúntaselo a ella de una vez, cornudo... ¡Suéltame!

Agustín sacó rápidamente la mano del bolsillo y algo dorado brilló como un zigzag. Vértigo. La calle temblaba. Respiración jadeante, suya y de Agustín. Tenía una furia homicida, Agustín, ahora que había empezado. Embestía. Y Moisés sin saber cómo, halló que alzaba la mano, que se defendía... Pelearon. En silencio, cuerpo contra cuerpo, cada uno en el terreno del otro, casi juntas las bocas, crujiendo los dientes.

No discurría. Sólo el instinto animal de defensa. Le golpeaba ciegamente procurando agarrarle el brazo armado con la mano del mortero —le había asestado dos golpes brutales y le parecía que el cráneo se le hundía, se le iba hundiendo...—. Medio a tientas se lo arrebató. «Dar fuerte». Golpeó a su vez, casi con los ojos cerrados, apretando los labios. Agustín se derrumbó como un acordeón. Al suelo. Quiso volver a dar, pero ya estaba en el suelo.

Idiotizado, se inclinó. Se movía, vomitaba. (¿O era sangre?) Unos minutos así, en medio de la acera, inclinado hacia el otro. (No sabía qué había pasado, no podía explicárselo. Le dolía la cabeza de una manera intolerable. No podía acordarse de nada. Le dolía la cabeza.)

Agustín gimió roncamente. Un coche subía por la calle. Soltó el mazo. Se estremeció. «Me duele la cabeza. ¿Por qué estoy aquí?» Levantó la vista. Claudio Coello. El portal. La casa. Aquel coche... Escapar, irse.

Echó a andar de prisa. «No de prisa. No de prisa. No correr», pero casi corría. Torció hacia Lagasca. Le dolía la cabeza. «Cuando llegue me daré agua fresca». Sentía algo caliente, pegajoso, entre las cejas. Se llevó la mano. Aprisa sacó el pañuelo y lo restañó. «Si me ven así...»

La calle de Lista, hacia Serrano de nuevo... Dudó. ¿Hacia Serrano o hacia la Castellana? Pasaba un taxi, otro coche. No dudar. Desandar. «Voy a Chamartín». No tenía sueño, ansia de llegar. Y de pronto se arrimó a la pared y vomitó. Vomitó aguantándose la cabeza contra el muro, porque le dolía. Una lucecita azul. (No detener al taxi, no llamarle.) Quería llegar a Chamartín.

Se halló de nuevo en medio de la calle, con la madrugada refrescando el ambiente. Cruzaban coches de cuando en cuando. Él ya casi no podía apartar el pañuelo de la frente.

Quería llegar a Chamartín. No era nada. No tropezar con
nadie. A Chamartín...

Los escaparates con las persianas bajas. Los tubos fluores-
centes palideciendo, difuminándose. Miró instintivamente
hacia arriba, hacia delante —tenía las manos y los puños
manchados, la camisa buena, pero ya no sangraba—. Pensó:
«Agustín...» Se alzó de hombros. Dijo, para sí mismo:

—¿Qué importa? Mientras estás, estás.

ÍNDICE

GALERIA LITERARIA